O ESSENCIAL
DE JOSEPH SCHUMPETER

CONHEÇA OUTROS LIVROS DA SÉRIE:

POLÍTICA, IDEOLOGIA E CONSPIRAÇÕES

DESCULPE-ME, SOCIALISTA

MITOS E FALÁCIAS DA AMÉRICA LATINA

A LEI

MENOS ESTADO E MAIS LIBERDADE

OS ERROS FATAIS DO SOCIALISMO

DA LIBERDADE INDIVIDUAL E ECONÔMICA

OS FUNDAMENTOS DO CAPITALISMO:

O ESSENCIAL DE ADAM SMITH

LIBERDADE É PROSPERIDADE – A FILOSOFIA DE AYN RAND

O ESSENCIAL DE MILTON FRIEDMAN

RUSSELL S. SOBEL
JASON CLEMENS

O ESSENCIAL DE JOSEPH SCHUMPETER

A ECONOMIA DO EMPREENDEDORISMO E A DESTRUIÇÃO CRIATIVA

Tradução:
MATHEUS PACCINI

COPYRIGHT © 2020 BY THE FRASER INSTITUTE. ALL RIGHTS RESERVED. NO PART OF THIS BOOK MAY BE REPRODUCED IN ANY MANNER WHATSOEVER WITHOUT WRITTEN PERMISSION EXCEPT IN THE CASE OF BRIEF QUOTATIONS EMBODIED IN CRITICAL ARTICLES AND REVIEWS. THE AUTHORS OF THIS PUBLICATION HAVE WORKED INDEPENDENTLY AND OPINIONS EXPRESSED BY THEM ARE, THEREFORE, THEIR OWN, AND DO NOT NECESSARILY REFLECT THE OPINIONS OF THE FRASER INSTITUTE OR ITS SUPPORTERS, DIRECTORS, OR STAFF. THIS PUBLICATION IN NO WAY IMPLIES THAT THE FRASER INSTITUTE, ITS DIRECTORS, OR STAFF ARE IN FAVOUR OF, OR OPPOSE THE PASSAGE OF, ANY BILL; OR THAT THEY SUPPORT OR OPPOSE ANY PARTICULAR POLITICAL PARTY OR CANDIDATE.

COPYRIGHT © FARO EDITORIAL, 2021
TODOS OS DIREITOS RESERVADOS.

Nenhuma parte deste livro pode ser reproduzida sob quaisquer meios existentes sem autorização por escrito do editor.

O autor deste livro trabalhou de forma independente, e as opiniões expressas por ele são, portanto, suas próprias e não refletem necessariamente as opiniões dos adeptos, diretores ou funcionários do Instituto Fraser. Esta publicação não implica de forma alguma que o Instituto Fraser, seus diretores ou funcionários sejam a favor ou se oponham à aprovação de qualquer projeto de lei; ou que eles apoiem ou se oponham a qualquer partido ou candidato em particular.

Avis Rara é um selo da Faro Editorial.

Diretor editorial: **PEDRO ALMEIDA**
Coordenação editorial: **CARLA SACRATO**
Preparação: **MURILO COELHO**
Revisão: **BARBARA PARENTE**
Adaptação de capa e diagramação: **CRISTIANE | SAAVEDRA EDIÇÕES**

Dados Internacionais de Catalogação na Publicação (CIP)
Angélica Ilacqua CRB-8/7057

Schumpeter, Joseph Alois, 1883-1950
 O essencial de Joseph Schumpeter / Russell S. Sobel, Jason Clemens ; tradução de Mathus Paccini. São Paulo : Faro Editorial, 2021.
 96 p.

 ISBN: 978-65-86041-67-5
 Título original: The essential Joseph Schumpeter

 1. Economia 2. Ciências sociais 3. Schumpeter, Joseph Alois, 1883-1950 - Biografia I. Título II. Clemens, Jason III. Paccini, Mathus

21-0208   CDD 300

Índice para catálogo sistemático:
1. Economia e Ciências sociais

1ª edição brasileira: 2021
Direitos de edição em língua portuguesa, para o Brasil, adquiridos por **FARO EDITORIAL**

Avenida Andrômeda, 885 – Sala 310
Alphaville – Barueri – SP – Brasil
CEP: 06473-000
WWW.FAROEDITORIAL.COM.BR

Os autores gostariam de dedicar este livro às suas respectivas famílias, que demonstraram apoio e paciência ao longo do tempo necessário para finalizá-lo. Além disso, gostaríamos de reconhecer as contribuições decisivamente importantes, mas frequentemente anônimas, de empreendedores produtivos ao redor do mundo aos quais Schumpeter dedicou grande parte de sua carreira.

Sumário

9   1. QUEM É JOSEPH SCHUMPETER?

17   2. EMPREENDEDORISMO, NOVAS COMBINAÇÕES DE RECURSOS E O SISTEMA DE LUCROS E PREJUÍZOS

27   3. DESTRUIÇÃO CRIATIVA: A INCESSANTE TEMPESTADE DE SCHUMPETER

35   4. MERCADOS CONTESTÁVEIS E A NATUREZA DA CONCORRÊNCIA

45   5. CICLOS ECONÔMICOS: ENTENDENDO AS OSCILAÇÕES DA ECONOMIA

55   6. DEMOCRACIA, ESCOLHA PÚBLICA E POLÍTICA GOVERNAMENTAL

65   7. O CAPITALISMO PODE SOBREVIVER?

---

75   OBRAS CITADAS

79   SOBRE OS AUTORES

81   AGRADECIMENTOS

83   PROPÓSITO, FINANCIAMENTO E INDEPENDÊNCIA

85   SOBRE O FRASER INSTITUTE

87   REVISÃO POR PARES - VALIDANDO A EXATIDÃO DE NOSSA PESQUISA

89   CONSELHO EDITORIAL CONSULTIVO

{ **Capítulo 1** }

Quem é Joseph Schumpeter?

Joseph Schumpeter é um dos economistas mais reconhecidos do século XX, embora pouco conhecido fora dos círculos acadêmicos. Dentre suas muitas contribuições, está sua pesquisa pioneira sobre empreendedorismo – uma das características primordiais de todas as economias de mercado. A sua descrição atemporal do processo empresarial como "destruição criativa" talvez só fique atrás do conceito de "mão invisível" de Adam Smith no uso diário em tuítes, postagens, discursos e artigos. Este livro explora várias das percepções mais importantes de Joseph Schumpeter sobre empreendedorismo, ciclos econômicos, desenvolvimento econômico e o processo democrático.

SCHUMPETER NASCEU EM 1883, EM TRIESCH, UMA PEQUENA cidade cerca de 120 quilômetros (ou 75 milhas) ao sul de Praga, onde hoje é a República Tcheca. A família Schumpeter era importante na cidade, envolvida em diversos negócios. Assim como Adam Smith, Schumpeter perdeu o pai na infância. Em um curto período de tempo após a morte de seu pai, a mãe de Schumpeter, Johanna, mudou-se com a família para Graz, uma cidade austríaca a cerca de 225 quilômetros (ou 140 milhas) de Viena. Em 1893, Johanna se casou com Sigmund von Keler, um general aposentado 30 anos mais velho do que ela. Keler fazia parte da nobreza austríaca, e sua posição social garantiria o acesso do jovem Joseph Schumpeter às melhores instituições de ensino do país. Logo após o casamento, a família se mudou para Viena, onde Schumpeter foi imediatamente matriculado em uma das escolas preparatórias mais prestigiadas, expondo-o a um currículo rigoroso em Matemática, Ciências, História, Literatura e diversos idiomas.

Na época, as mudanças políticas e econômicas radicais que ocorriam no Império Habsburgo se concentravam em Viena. Era um centro intelectual destacado, um ambiente que contribuiria para uma formação de excelente qualidade para o jovem Schumpeter. Em 1901, ele entrou para a Universidade de Viena, que, na época, era uma das melhores do mundo, comparável a Oxford e Cambridge. Schumpeter focou seus estudos em Direito, Economia e História. Na verdade, a graduação de Schumpeter foi em Direitos Civil e Romano, pois, naquela altura, era comum que professores de Economia fossem docentes da Faculdade de Direito.

Durante a faculdade, Schumpeter foi profundamente influenciado por diversos professores, incluindo Friedrich von Wieser e Eugen von Böhm-Bawerk, versados na obra de Carl Menger, membro fundador da Escola Austríaca de Economia. Ludwig von Mises, um dos economistas mais aclamados da Escola Austríaca, foi colega de Schumpeter na Universidade de Viena. Ao contrário de Mises e muitos de seus contemporâneos nessa instituição, Schumpeter não se considerava parte da "Escola Austríaca" de Economia. Em questões de Economia Política, Schumpeter seguia uma linha mais "conservadora", tradicional, do que a "austríaca". De fato, reconheceu publicamente sua admiração pela seguinte frase de Edmund Burke: "uma boa ordem é a fundação de todas as coisas".*

Schumpeter se formou em 1906 na Universidade de Viena, tendo publicado três artigos, todos de natureza estatística, que refletiam sua preferência por uma abordagem mais matemática e científica da Economia. O aluno mais famoso dele, Paul Samuelson, levou essa característica inovadora a outro nível quando se tornou um dos economistas mais proeminentes e influentes dos Estados Unidos na década de 1950.

Schumpeter teve dificuldades para encontrar seu caminho depois da graduação. Passou três anos viajando pela Alemanha, França, Inglaterra e também pelo Oriente Médio. Para surpresa de muitos, casou-se repentinamente com Gladys Ricarde Seaver, uma aristocrata inglesa 12 anos mais velha do que ele. A necessidade de trabalho foi provavelmente o que levou Schumpeter e sua nova esposa ao Cairo, onde ele obteve a licença para advogar. Na mesma época, aparentemente, Schumpeter decidiu que queria ser um economista acadêmico. Foi durante esse período que ele escreveu e publicou *The Nature and Essence of Economic Theory*,** uma análise abrangente da Economia, com uma ênfase especial em tentar transpor o abismo entre as principais escolas do pensamento econômico da época, particularmente, a alemã e a austríaca.

Schumpeter retornou à Universidade de Viena em 1908, para cursar o equivalente a um atual doutorado, necessário para

---

* *Destacado na p. 34 da biografia de Schumpeter escrita por Thomas K. McCraw (2009).*

** *N. do T.: Cf. título atribuído à obra na tradução para o inglês pela editora britânica Routledge (2017), que em português seria "A Natureza e a Essência da Economia Teórica".*

garantir emprego como professor. Baseando-se no conteúdo de seu livro já publicado, aliado a palestras e estudos adicionais, ele foi rapidamente aprovado e habilitado a lecionar. Embora esperasse ficar em Viena, seus mentores Bohm-Bawerk e Von Wieser só conseguiram lhe garantir um emprego temporário na relativamente nova Universidade de Czernowitz, perto da fronteira leste do império. Enquanto esteve lá, Schumpeter escreveu o que foi considerado, na época, um livro revolucionário sobre o progresso econômico, intitulado apenas *Teoria do Desenvolvimento Econômico*. Pela primeira vez, Schumpeter introduziu o papel central do empreendedor para explicar esse fenômeno. O livro lhe rendeu visibilidade rapidamente.

Em 1911, Schumpeter se transferiu para a Universidade de Graz para ocupar uma posição de mais prestígio na cidade onde cresceu. Após apenas dois anos em Graz, Schumpeter foi convidado para palestrar na Universidade de Columbia. Suas palestras e apresentações públicas nos Estados Unidos foram bastante elogiadas, com resenhas que incluíam termos como "brilhante" e "profundo". Esse longo período longe de sua esposa levou, por fim, a uma separação formal, embora os detalhes a esse respeito sejam pouco conhecidos.

Apesar do consenso geral de que Schumpeter "não tinha o tato e a discrição necessários para ter sucesso na vida pública" (McCRAW, 2009, p. 94), ele ocupou, em 1919, o cargo de ministro das Finanças da Áustria. Não restam dúvidas de que, embora seu mandato tenha sido curto – ele foi exonerado menos de um ano depois –, foi uma influência decisiva em sua análise sobre o papel e os limites da ação governamental. Schumpeter, então, retornou à Universidade de Graz, mas já desmotivado com a academia e a pesquisa acadêmica. O próprio Schumpeter se refere a esse período como um *gran rifiuto* que, em italiano, significa "grande perda de tempo" (McCRAW, 2009, p. 94). Em 1921, ele pediu demissão e inaugurou uma nova fase em sua carreira como banqueiro e investidor profissional, o que, novamente, influenciou diretamente suas perspectivas intelectuais sobre a Economia e, em particular, sobre o papel do empreendedor.

Em 1921, Schumpeter obteve de seus antigos colegas de governo uma licença para operar um banco em Viena, o que lhe permitiu associar-se com Artur Klein, diretor do Biedermann Bank, o banco mais antigo de Viena. Como muitos bancos após a Primeira Guerra Mundial, o Biedermann passava por dificuldades. A solução de Klein foi transformar o Biedermann em uma sociedade corporativa, e a licença de Schumpeter foi o que viabilizou essa mudança. Schumpeter recebeu o cargo de gestor e presidente do banco, que incluía um salário significativo e acesso a crédito para investimento pessoal, além de um bom número de ações; de fato, ele se tornou o segundo maior acionista do banco incorporado.

Embora os três anos seguintes tenham sido incrivelmente desafiadores para o banco por causa da inflação alta, que Schumpeter já havia previsto, ele teve muito sucesso em seus investimentos e acumulou grande riqueza. Todavia, isso mudou drasticamente em 1924, quando a Bolsa de Viena despencou, perdendo quase três quartos de seu valor. Ele perdeu muito de sua riqueza pessoal e contraiu dívidas. Por conta disso, foi forçado a renunciar a seu posto no Biedermann Bank e reembolsar todas suas linhas de crédito, o que o forçou a pegar empréstimos de amigos que levaria anos para pagar. De fato, por quase uma década, Schumpeter comprometeu todas as suas receitas com artigos acadêmicos e palestras para quitar suas dívidas.

Os anos seguintes seriam importantes para Schumpeter em diversas frentes. Primeiro, após anos de idas e vindas, Schumpeter pediu Anna Josefina Reisinger em casamento. Ele também decidiu retornar à academia, aceitando um cargo na prestigiosa Universidade de Bonn, na Alemanha, em outubro de 1925. Apesar de toda felicidade que desfrutou em 1925, o ano seguinte não foi nada menos que devastador. Em 1926, sua mãe faleceu; logo depois, sua esposa e seu filho morreram durante o parto. Nesse período de luto, a produção acadêmica de Schumpeter foi sem igual. Ele completou e publicou três artigos acadêmicos e diversos ensaios, além de repensar, retrabalhar e revisar *Teoria do Desenvolvimento Econômico*. O renomado economista Oscar Morgenstern escreveu uma resenha sobre a obra na *American Economic Review*, chamando-a de: "um dos livros mais estimulantes e fascinantes já escritos sobre teoria econômica. É revolucionário, pois apresenta a primeira descrição de uma economia dinâmica elaborada." (1927, p. 281–282).

Durante seu tempo na Alemanha, Schumpeter ficou bastante interessado – e também envolvido – em políticas públicas. Escreveu diversas colunas e artigos analisando problemas de Políticas Públicas e oferecendo reformas para solucioná-los, incluindo as áreas de tributos, equilíbrio orçamentário, salários e desemprego, ciclo econômico, protecionismo e, é claro, o papel e a importância do empreendedorismo. O início da década de 1930 foi decisivo para a mudança definitiva de Schumpeter para Harvard. Inicialmente, ele dividia seu tempo entre Harvard e Bonn; em 1932, tornou-se docente da primeira em tempo integral. Do final dos anos 1930 até a sua morte em 1950, Schumpeter direcionou seu foco integralmente em sua carreira acadêmica, escrevendo três livros relativamente grandes: *Business Cycles*

(1939), *Capitalism, Socialism, and Democracy** (1942) e *History of Economic Analysis*,** que foi publicado postumamente em 1954.

Jacob Viner, renomado economista da Universidade de Chicago, elogiou *History of Economic Analysis*: "de longe, a contribuição mais construtiva, original, profunda e brilhante já publicada sobre a história das fases analíticas de nossa disciplina".*** Contudo, *Capitalism, Socialism, and Democracy*, publicado em 1942, é, sem dúvida, o seu trabalho mais popular e bem-sucedido. O livro inclui muitas percepções de suas obras anteriores, mas é uma análise mais sucinta e, talvez, mais penetrante da natureza do capitalismo. Schumpeter descreve os mecanismos – empreendedores, inovação e realocação de capital – que promovem a recriação "incessante" do capitalismo. Foi essa dinâmica fundamental do capitalismo que levou Schumpeter a usar a frase que, talvez, melhor capture a singularidade do capitalismo empreendedor: "destruição criativa".

Em 1947, Schumpeter foi eleito presidente da American Economics Association, um dos postos mais prestigiosos do país para um economista. Ele foi o primeiro presidente estrangeiro da instituição. Embora as vidas pessoal e profissional de Schumpeter fora da Economia fossem caracterizadas por grande tragédia e fracasso, sua contribuição acadêmica à Economia só é comparável a de alguns poucos grandes economistas do século XX.

Há um consenso geral de que Schumpeter ofereceu visões contundentes e duradouras sobre a natureza do desenvolvimento

---

* N. do T.: *Capitalismo, socialismo e democracia. Trad. de Luiz Antonio Oliveira de Araujo. São Paulo: Unesp, 2017.*

** N. do T.: *História da Análise Econômica. Rio de Janeiro: Fundo da Cultura, 1964. v. 1.*

*** *Citado em McCraw (2009), p. 249.*

econômico e o papel do empreendedor no processo de concorrência dinâmica. De fato, durante a década de 1980, houve acentuado aumento de interesse acadêmico pela obra de Schumpeter, como demonstrado pelo número de citações de sua obra, que supera as de Keynes (WHALEN, 2000). Com razão, Schumpeter é visto como um dos maiores e mais talentosos economistas do século XX.

{ Capítulo 2 }

Empreendedorismo, novas combinações de recursos e o sistema de lucros e prejuízos

Chamamos "empreendimento" a realização de combinações novas; chamamos "empreendedores" os indivíduos cuja função é realizá-las. (TED, p. 83).*

FATIAS DE LARANJA COMBINAM BEM PARA SER UM sabor de pizza? E abacaxi? Combina com presunto e peru melhor

---

* N. do T.: O livro The Theory of Economic Development (TED) *possui uma tradução para o português publicada pela Editora Nova Cultural em 1997, sob o nome de* Teoria do desenvolvimento econômico. *Todas as citações presentes neste livro foram retiradas dessa tradução, embora tenham sido modificadas, corrigidas e/ou atualizadas em alguns pontos. Por isso, o número de página que acompanha a citação se refere à obra original, e não à tradução. Ver: SCHUMPETER, J. A.* Teoria do desenvolvimento econômico: uma investigação sobre lucros, capital, crédito, juro e o ciclo econômico. *Trad. de Maria Sílvia Possas. São Paulo: Nova Cultural, 1997.*

do que com carne? Será que peru fica bom mesmo na pizza? Se você já foi a uma dessas pizzarias "faça você mesmo", sabe que existem muitas combinações de cobertura que você poderia, em teoria, colocar sobre uma pizza. Com algumas fórmulas matemáticas é possível descobrir exatamente quantas combinações seriam possíveis com um determinado conjunto de ingredientes, e o número cresce rapidamente. Se houvesse 20 sabores diferentes disponíveis, e você tivesse de escolher apenas três, quantas combinações de pizzas você acha que poderia fazer?

A resposta pode surpreendê-lo. Você poderia fazer incríveis 1.140 pizzas de três sabores com esses 20 ingredientes! Com 50, o número de opções de sabores saltaria para 19.600! Uma dessas combinações – que usa molho de tomate, queijo, abacaxi e presunto – é conhecida como havaiana, e é atualmente o sabor mais popular na Austrália! O crédito por sua criação é frequentemente dado a Sam Panopoulos, que fez a primeira no restaurante Satellite, em Ontário, Canadá, em 1962.

Sam é um bom exemplo do que Joseph Schumpeter considerava empreendedorismo: a descoberta e a aplicação comercial de uma nova combinação de recursos. Todos os dias, empreendedores investigam novas combinações lucrativas de recursos produtivos. Segundo Schumpeter, ser um empreendedor não era simplesmente sinônimo de ser o proprietário, administrador ou investidor de um negócio: o que distinguia os empreendedores de outros agentes econômicos eram seus testes e experimentos para descobrir novas combinações de recursos produtivos na busca de lucro e sucesso.[*]

---

[*] *Além da busca pura pelo lucro, Schumpeter claramente pensava que os empreendedores eram motivados por forças pessoais como "a vontade de conquistar: o impulso a lutar, provando-se superiores aos outros, tendo êxito, não pelos frutos do sucesso, mas pelo próprio sucesso" e "a alegria de criar, de fazer as coisas, ou simplesmente de exercitar sua energia e criatividade" (TED, p. 93)*

No livro de 1934, *The Theory of Economic Development* (TED), Schumpeter escreve:

> Como a realização de combinações novas é que constitui o empreendedor, não é necessário que ele esteja permanentemente vinculado a uma empresa individual. [...] Por outro lado, nosso conceito é mais restrito do que o tradicional ao deixar de incluir todos os dirigentes de firmas, gerentes ou industriais que simplesmente podem operar um negócio estabelecido, incluindo apenas os que realmente executam aquela função.
>
> Mas, qualquer que seja o tipo, alguém só é um empreendedor quando efetivamente "levar a cabo novas combinações", e perde esse caráter assim que tiver montado o seu negócio, passando a dirigi-lo como outras pessoas dirigem seus negócios. Essa é a regra, certamente, e assim é tão raro alguém permanecer sempre como empreendedor ao longo das décadas de sua vida ativa quanto é raro um empresário nunca passar por um momento em que seja empreendedor, mesmo que seja em menor grau (TED, p. 75-78).

Pelas citações, fica óbvio que Schumpeter não considerava o proprietário de um negócio ou o gestor de uma empresa um empreendedor. Além disso, ele mesmo remove o conceito de assumir riscos de sua definição de empreendedorismo, quando afirma que:

> O empreendedor nunca é aquele que assume o risco. Mesmo que o empreendedor se autofinancie pelos lucros anteriores, ou que contribua com os meios de produção pertencentes ao seu negócio "estático", o risco recai sobre ele na qualidade de capitalista ou proprietário de bens, não na qualidade de empreendedor. Assumir riscos não é,

> em hipótese alguma, um componente da função
> empreendedora. Mesmo que possa arriscar sua
> reputação, a responsabilidade econômica direta
> do fracasso não recai nunca sobre ele (TED, p. 137).

Em sua obra, portanto, Schumpeter destacou a função dos empreendedores como inovadores disruptivos que promovem crescimento econômico e prosperidade ao longo do tempo. Ao fazê-lo, oferece uma distinção clara entre "invenção" e "inovação", mais bem ilustrada em seu livro *Business Cycles: A Theoretical, Historical, and Statistical Analysis of the Capitalist Process*, volume 1 (BC1): "o empreendedor pode, mas não precisa ser o 'inventor' do bem ou processo que introduz" (BC1, p. 103).

Enquanto *invenção* é a criação ou descoberta de um novo produto ou processo, *inovação* é a introdução e adoção bem-sucedida de um novo produto ou processo no mercado. Basicamente, a inovação é a aplicação econômica das invenções. Vejamos alguns exemplos dessa diferença. O moderno aspirador de pó vertical elétrico foi inventado em 1908, por James Spangler, zelador de uma loja de departamentos. Mas foi seu primo, William Hoover, que, após conhecer a ideia, comprou a patente de Spangler e fundou a Hoover Company, que *inovou* e produziu comercialmente, com sucesso, criando uma marca e abrindo mercados globais para o produto. Da mesma forma, o vendedor de máquinas de *milk-shake* Ray Kroc foi o inovador que ficou famoso por desenvolver comercialmente o sistema de franquias e tornou reconhecida a marca global McDonald´s, após ter mantido contato com o restaurante de Richard e Maurice McDonald na Califórnia. Por fim, embora Henry Ford não tenha inventado o automóvel, sua inovação foi usar a linha de produção e a fabricação em larga escala, que fez que o preço do automóvel ficasse acessível para as famílias. Em cada um desses casos, o inovador é diferente do inventor, e era pelo papel do inovador que Schumpeter se interessava.

Um fator talvez ainda mais importante para distinguir invenção de inovação é que a maioria das invenções nunca se torna inovação – isto é, nem todas as invenções são ideias lucrativas de negócio. Se você descobrisse uma nova forma de produzir gasolina de folhas de árvores por um custo de $500 por galão (aproximadamente 4 litros), poderia até ser uma invenção, mas teria dificuldades para competir em um mercado em que a gasolina custa, atualmente, menos de $10 por galão! Voltando ao nosso exemplo original de combinações de pizza, nem todas as combinações de ingredientes (invenções) são gostosas – pizza de ovo podre, fígado e anchovas, por exemplo, seria uma que não comeríamos. E isso dirige nossa atenção ao processo pelo qual separamos as boas ideias das ruins no mercado competitivo.

Como podemos saber se descobrimos uma boa nova combinação, como a pizza havaiana de Sam, ou uma ruim, como a pizza de ovo podre, fígado e anchovas? Em um sistema competitivo de mercado, esse processo de seleção é realizado por um sistema de lucros e prejuízos, controlado por consumidores e proprietários de recursos. Se a nova ideia é boa o suficiente a ponto de fazer os consumidores comprarem o produto a um preço capaz de gerar a receita necessária para cobrir todos os custos de produção, então o produto é viável e continuará a ser produzido. Por outro lado, se a nova ideia não gerar receita suficiente para cobrir todos os custos de produção, então haverá perdas e a possibilidade de falência. Estou certo de que você já viu novos restaurantes em sua cidade que exemplificam ambos os casos: os que abrem e têm sucesso, e os que abrem e fecham as portas.

Falências podem resultar de receita insuficiente, ou de custos muito elevados. Um negócio que poderia ser lucrativo em um local com aluguel barato, por exemplo, pode não ser lucrativo em outro ponto comercial com aluguel mais caro. Assim, a escolha dos recursos investidos na combinação é de igual importância para o valor do que é produzido.

Lucros e prejuízos têm um papel importante na economia. À medida que empreendedores filtram as diversas combinações possíveis de recursos, o sistema de lucros e prejuízos informa e guia o processo de descoberta. Frequentemente, é um processo de tentativa e erro. O processo fica ainda mais complexo quando consideramos que a meta está em constante mudança, com novas oportunidades surgindo e outras desaparecendo com o tempo. O que era lucrativo ontem pode não mais ser lucrativo hoje, e vice-versa.

Na verdade, é o potencial de lucro que oferece o maior incentivo para esse processo de tentativa e erro dos empreendedores. Segundo Schumpeter, em seu livro posterior e talvez mais famoso, *Capitalism, Socialism, and Democracy* (CSD):* "Em alguns casos, no entanto, é bem-sucedida o suficiente para render lucros muito acima do que é necessário para induzir o investimento correspondente. Esses casos, então, fornecem a isca que atraem capital para caminhos não percorridos" (CSD, p. 90). Ou seja, o lucro é o atrativo que estimula a descoberta e incentiva o investimento de capital pelo empreendedor.

---

* *O livro* Capitalism, Socialism, and Democracy (CSD) *possui uma tradução para o português publicada pela Editora Fundo de Cultura em 1964, sob o nome de* Capitalismo, socialismo e democracia. *Todas as citações presentes neste livro foram retiradas dessa tradução, embora tenham sido modificadas, corrigidas e/ou atualizadas em alguns pontos. Por isso, o número de página que acompanha a citação se refere à obra original, e não à tradução.*

Essa é uma razão pela qual as políticas governamentais que reduzem as recompensas da inovação podem ser prejudiciais para o crescimento econômico e a prosperidade, ou seja, quando regulações e tributos reduzem a lucratividade potencial de inovações futuras, menos tentativas são feitas para descobri-las. Como Schumpeter destaca em seu livro *The Economics and Sociology of Capitalism* (ESC):

> *O lucro empresarial como tal surge na economia capitalista sempre que um novo método de produção, uma nova combinação comercial, ou uma nova forma de organização é introduzida com sucesso. É o prêmio que o capitalismo concede à inovação. Se esse lucro fosse tributado, faltaria aquele elemento do processo econômico que, no presente, é, de longe, o motivo individual mais importante para o trabalho em direção ao progresso industrial. Mesmo se a tributação apenas reduzisse substancialmente esse lucro, o desenvolvimento industrial seria consideravelmente mais lento, como o destino da Áustria claramente mostra... existe um limite para a tributação do lucro empresarial além do qual a carga tributária não pode ir sem prejudicar e, depois, destruir o que é tributado (ESC, p. 113-114).*

Em um capítulo posterior, retornaremos às visões de Schumpeter acerca da política governamental adequada. Por ora, simplesmente destacamos que essas políticas podem ter grande impacto sobre o nível de experimentação e descoberta exercido pelos empreendedores na economia. Para Schumpeter, esse processo era a chave para o crescimento econômico e a prosperidade.

O empreendedorismo é importante porque é o comportamento competitivo dos empreendedores em busca de lucros que promove a busca por novas combinações possíveis de recursos que criam mais valor. Algumas dessas novas combinações serão mais valiosas do que as existentes, e outras, não. Em uma economia de mercado, é o sistema de lucros e prejuízos que avalia essas novas combinações de recursos descobertos por empreendedores, descartando ideias ruins em razão de perdas, e recompensando as boas com lucros. Uma economia crescente e vibrante não depende apenas de os empreendedores descobrirem, avaliarem e explorarem oportunidades para criar novos bens e serviços, mas também da velocidade pela qual as ideias são consideradas sucessos ou fracassos pelo sistema de lucros e prejuízos.

De um ponto de vista econômico, então, o fracasso empresarial tem um lado positivo: elimina combinações ruins de recursos, liberando-os para serem usados em outros projetos, além de oferecer informações e sinais a outros empreendedores a respeito dessa combinação que ocasiona prejuízo. Uma economia vibrante terá um grande número de novos negócios e um grande número deles que não deram certo. Em uma economia em que todos os empreendedores – mesmo aqueles com ideias loucas para novos sabores de pizza – podem testá-los no mercado, haverá muitos erros.

Contudo, Schumpeter destaca que esse processo não é constituído apenas por empreendedores que tentam atender a um determinado conjunto de desejos dos consumidores. Mais importante, eles trabalham para antecipar e orientar esses desejos. Como Schumpeter escreve:

> No entanto, as inovações no sistema econômico não aparecem, via de regra, de tal forma que primeiramente as novas necessidades surgem espontaneamente nos consumidores e, então, o aparato produtivo se molda com sua pressão.

Não negamos a presença desse nexo. Entretanto, é o produtor que, via de regra, inicia a mudança econômica, e os consumidores são educados por ele, se necessário; são, por assim dizer, ensinados a querer coisas novas, ou coisas que diferem em um aspecto ou outro daquelas que tinham o hábito de usar (TED, p. 65).

Como inovadores, os empreendedores buscam antecipar o que os consumidores podem querer que atualmente não têm. Eles vislumbram um futuro diferente. Em vez de tornar um produto atual melhor ou mais barato, os verdadeiros empreendedores schumpeterianos criam um produto ou serviç otalmente novo que os consumidores gostariam de ter, ma que sequer imaginam ser possível que venha a existir, e os educam sobre seus benefícios. Schumpeter continua:

Produzir significa combinar materiais e forças dentro de nosso alcance (cf. capítulo I). Produzir outras coisas, ou as mesmas coisas com um método diferente, significa combinar diferentemente esses materiais e forças. À medida que as "novas combinações" podem, com o tempo, originar-se das antigas por ajuste contínuo em pequenas etapas, há certamente mudança – possivelmente, crescimento –, mas não um fenômeno novo nem um desenvolvimento em nosso sentido. Quando não for esse o caso, e as novas combinações aparecerem descontinuamente, então surge o fenômeno que caracteriza o desenvolvimento. Para ficar claro, quando falarmos em novas combinações de meios produtivos, só estaremos nos referindo ao último caso. O desenvolvimento, no sentido que lhe damos, é definido então pela realização de novas combinações (TED, p. 65-66).

Para Joseph Schumpeter, o desenvolvimento econômico é o resultado da inovação realizada pelos empreendedores que descobrem combinações novas e mais valiosas de recursos. Essa busca é incentivada e guiada pelo sistema de lucros e prejuízos. Além de satisfazer melhor os desejos dos consumidores a um custo menor, os empreendedores também os ajudam a descobrir novos desejos e preferências. Mas esse processo é disruptivo. Novos bens e serviços entram no mercado e competem com os existentes, às vezes, fazendo desaparecer a velha forma de fazer as coisas.

Inovações como o automóvel e o avião foram mais do que simplesmente novas combinações de recursos para satisfazer desejos existentes dos consumidores; foram saltos em direção ao progresso econômico. Tais saltos são a chave do desenvolvimento econômico, mas também ameaçam indústrias existentes, como milhares de negócios e seus trabalhadores no ramo de charretes logo descobriram – e esse processo pelo qual o empreendedorismo ameaça produtores existentes, e as consequências dessa ameaça, são o tema de nosso próximo capítulo.

Capítulo 3

Destruição criativa: a incessante tempestade de Schumpeter

O impulso fundamental que mantém o motor capitalista em funcionamento procede dos novos bens de consumo, dos novos métodos de produção ou transporte, dos novos mercados e das novas formas de organização industrial criados pela empresa capitalista [...] que revoluciona internamente e sem cessar a estrutura econômica, destruindo a antiga e criando uma nova. É impossível entender o capitalismo, sem entender o processo de destruição criativa (CSD, p. 82-84).

Se você pudesse entrar em uma máquina do tempo (talvez, um DeLorean) e visitar um shopping na década de 1980, ele estaria lotado de clientes. Se você entrevistasse donos de lojas sobre suas preocupações com o futuro, provavelmente mencionariam o medo de encarar a concorrência de novas lojas abrindo naquele mesmo shopping ou de um novo shopping abrindo na mesma cidade, o que poderia obrigá-los a fechar as portas. De fato, se você visitar o mesmo shopping hoje, a maioria das lojas provavelmente estarão fechadas, e o lugar deprimente, de tão vazio. No final das contas, é claro, não era com um novo shopping ou outras lojas no mesmo shopping o problema com o qual os proprietários deveriam ter se preocupado, mas sim com a chegada da internet, principalmente com a Amazon, em particular. Obviamente, na década de 1980, não havia internet, e os donos de lojas nem poderiam imaginar que tal coisa seria criada.

A INTERNET NÃO AFASTOU OS NEGÓCIOS SÓ DOS SHOPPINGS.

Desde 2010, os tradicionais ramos de negócios de jornal impresso e de rádio estão em declínio. A impressão de listas telefônicas (diretórios que listam os números de telefones de indivíduos e empresas) já faz parte do passado, e livros e apostilas impressos serão os próximos. Schumpeter destacou que a ameaça da introdução de novos bens e serviços que resulta nessas mudanças fundamentais é a verdadeira natureza da concorrência dinâmica. Essa visão contrastava diretamente com a concorrência descrita nos livros didáticos de Economia, que focava na concorrência, em preço, qualidade ou localização entre firmas rivais que produziam bens similares no mesmo segmento.

Costumamos pensar no empreendedorismo como algo criativo – a criação de algo novo. Nas palavras de Schumpeter, é a criação de uma nova combinação de recursos. Também pensamos nele como progresso – algo que torna o futuro melhor do que o passado, como a invenção da secadora de roupas e do micro-ondas, ou o transporte rápido possibilitado pelo avião. O que nem sempre lembramos é que é destrutivo no sentido de que o resultado de uma criação é a morte da forma antiga de se fazer as coisas.

Talvez, a contribuição mais conhecida de Joseph Schumpeter, em sua abordagem a respeito desse processo evolucionário, seja a expressão "destruição criativa" que ele usou para descrever isso em seu livro de 1942, *Capitalism, Socialism, and Democracy* (CSD).*

Antes de continuar, consideremos mais exemplos do processo de destruição criativa de Schumpeter. Talvez o mais frequente seja o caso do automóvel substituindo a charrete. Novamente, embora costumemos aplaudir a maravilha que foi a introdução do automóvel para as necessidades de transporte das pessoas, costumamos esquecer de que ela resultou na falência de centenas, senão milhares, de outros negócios (o setor de charretes), bem como no desemprego de seus proprietários e funcionários. O impacto disso foi maior do que você pode imaginar. Podemos citar pessoas que criavam cavalos, trabalhadores que cortavam árvores e as transformavam em carroças, selarias que produziam os arreios e o equipamento, e ferreiros que colocavam as ferraduras nos cavalos, forjavam e consertavam peças metálicas. Houve pequenos empresários em final de carreira que perderam tudo, com poucas opções de emprego em que poderiam usar suas habilidades. Houve filhos e filhas que planejavam trabalhar no negócio da família e, algum dia, assumi-lo, e agora tinham de encontrar uma nova profissão, e, talvez, recomeçar a vida em outra cidade. Essa é a parte destrutiva do processo – e provavelmente é visível hoje em sua cidade, quando você vê prédios vazios que antes eram ocupados por

---

* *A expressão "destruição criativa", embora às vezes atribuída a Schumpeter, foi usada pela primeira vez por um economista e sociólogo alemão chamado Werner Sombart, em seu livro* War e Capitalism, *de 1913. Não obstante, Schumpeter é quem popularizou essa expressão e a posicionou na vanguarda da teoria econômica em seus escritos sobre capitalismo como um processo evolucionário.*

lojas que faliram por causa do crescimento do comércio *on-line* ou da chegada de novos varejistas.

No setor privado, talvez não exista indústria intocada pelo processo de destruição criativa nos últimos dois séculos, tendência que só cresceu por conta do surgimento da internet e dos celulares. A velha indústria da locação de filmes, antigamente dominada pela Blockbuster, foi substituída por plataformas de streaming, como a Netflix; discos de vinil foram substituídos por fitas-cassete e CDs, e esses, por downloads de músicas e, hoje, por serviços populares de streaming. O celular substituiu câmeras digitais, filmadoras, alarmes, aparelhos portáteis de música, agendas de endereços e calendário de mesa, reduziu a venda de relógios de pulso, causou um grande declínio no uso de telefones fixos, dentre outras mudanças.

Neste ponto, é válido citar uma versão mais longa da definição de Schumpeter de destruição criativa para explorar sua visão desse conceito mais detalhadamente.

> *O ponto essencial é que, ao falar de capitalismo, falamos de um processo evolucionário. [...] Ele é, por natureza, uma forma ou método de transformação econômica, e nunca é, nem pode ser, estacionário. [...] O impulso fundamental que mantém o motor capitalista em funcionamento procede dos novos bens de consumo, dos novos métodos de produção ou transporte, dos novos mercados e das novas formas de organização industrial criados pela empresa capitalista [...] que revoluciona internamente e sem cessar a estrutura econômica, destruindo a antiga e criando uma nova. É impossível entender o capitalismo, sem entender o processo de destruição criativa. É dele que se constitui o capitalismo, e a ele toda a empresa capitalista deve se adaptar para sobreviver [...] Todos os exemplos de estratégia*

econômica adquirem a sua verdadeira significação apenas em relação a esse processo e dentro da situação por ele criada (CSD, p. 82-84).

Note que o termo é usado por Schumpeter em seu entendimento do sistema econômico do capitalismo como processo evolucionário. Façamos uma breve discussão sobre a distinção entre avaliar algo com base apenas nos resultados, em vez de avaliar o processo que gera os resultados.

Suponha que um jogo recente de basquete teve um placar final de 108 a 75. Esse é o resultado do jogo. O próprio jogo é o processo que gerou esse resultado. De que informação você precisaria para afirmar que o jogo foi justo? Apenas do resultado final? Penso que a maioria de nós buscaria saber se as equipes foram tratadas de forma justa no próprio jogo, na arbitragem e nas regras desportivas. Isto é, avaliaríamos a justiça do resultado ao questionar se foi gerado por um processo justo. Um processo justo pode produzir resultados bastante desequilibrados. Por outro lado, é possível haver resultados muito parecidos (digamos, em um jogo com placar final de 76 a 75), gerado por um processo injusto, com trapaça e arbitragem tendenciosa.

O próprio Schumpeter estava muito mais preocupado com o sistema de mercado na qualidade de processo do que com qualquer resultado específico que possa gerar em algum momento. Para ele, esse processo nunca é "estacionário", mas está em constante movimento, é *perene*. Ele também o vê como uma grande força na economia e no desenvolvimento e progresso econômicos que recorda um vento forte, uma *tempestade*. Por isso, a destruição criativa é às vezes chamada de "a incessante tempestade de Schumpeter."

Em média, cerca de 700 mil estabelecimentos abrem e outros 600 mil fecham por ano nos Estados Unidos. Da mesma forma, trabalhadores perdem empregos nessas firmas que fecham e em indústrias agonizantes e, então, conseguem empregos em novas firmas e indústrias emergentes. Para Schumpeter, esse processo de reciclagem da mão de obra e outros insumos produtivos resulta da experimentação dos empreendedores com novas combinações de recursos, o tópico de nosso capítulo anterior.

A destruição criativa é, de fato, fundamental para a teoria do desenvolvimento econômico de Schumpeter, ou seja, como sociedades baseadas no mercado progridem ao longo do tempo. Em seu livro de 1934, *The Theory of Economic Development* (TED), ele discute os diferentes tipos de mudanças que considerava parte desse processo de destruição criativa:

> Esse conceito engloba os cinco casos seguintes:
> **1)** introdução de um novo bem - ou seja, um bem com que os consumidores ainda não estejam familiarizados - ou de uma nova qualidade de bem.
> **2)** Introdução de um novo método de produção, ou seja, um método ainda não testado pela experiência no próprio ramo da indústria de transformação, que não precisa ser baseado numa descoberta cientificamente nova, e pode consistir também em nova maneira de manejar comercialmente uma mercadoria.
> **3)** Abertura de um novo mercado, ou seja, de um mercado em que o ramo particular da indústria de transformação do país em questão não tenha ainda entrado, quer esse mercado tenha existido antes, quer não.
> **4)** Conquista de uma nova fonte de oferta de matérias-primas ou de bens semimanufaturados, mais uma vez independentemente da existência prévia dessa fonte.

5) *Estabelecimento de uma nova organização de qualquer indústria, como a criação de uma posição de monopólio (por exemplo, a cartelização) ou a fragmentação de uma posição de monopólio (TED, p. 66).*

Obviamente, a visão de Schumpeter sobre esse processo não incluía apenas um novo bem (o automóvel) substituindo um bem antigo (charrete), mas também mudanças nos processos produtivos (como a linha de montagem ou o sistema de franquias), bem como a abertura de novos fornecedores ou novos mercados.

A visão de Schumpeter do empreendedorismo como um processo disruptivo de destruição criativa é frequentemente contrastada com a visão de Israel Kirzner, outro famoso economista conhecido por suas contribuições para nossa compreensão do empreendedorismo. Diferentemente de Schumpeter, Kirzner ressaltava o papel dos empreendedores na descoberta de oportunidades de lucro, agindo sobre elas e, no processo, fechando as lacunas regulatórias que existem nos mercados e aproximando-os do equilíbrio competitivo. No entanto, essas visões deveriam ser consideradas complementares. Os empreendedores schumpeterianos inovam e geram disrupções em mercados existentes, em que as firmas pioneiras obtêm lucros acima da média que, posteriormente, atraem imitadores e o tipo de empreendedores kirznerianos, reduzindo lucros excessivos através da concorrência, levando o novo mercado ao equilíbrio.[*]

Como a introdução de novos bens e serviços frequentemente resulta na falência ou obsolescência da velha forma de

---

[*] *Leitores interessados nessa distinção e nas visões de Kirzner podem consultar Kirzner (1999).*

fazer as coisas, ela gera conflitos – inimigos do próprio processo. Por exemplo, em toda a Europa e mesmo nos Estados Unidos, os taxistas protestaram (às vezes, de forma violenta) contra a chegada da Uber, e conseguiram convencer governos a impor restrições aos aplicativos de transporte. Por diversas razões, tanto políticas quanto culturais, cidades, estados e países diferentes têm graus distintos de tolerância para essas disrupções e transições. Segundo Schumpeter, esse processo disruptivo de destruição criativa é a base do progresso econômico da sociedade ao longo do tempo. Assim, Schumpeter oferece um mapa para o ambiente político que conduz ao desenvolvimento econômico: arcabouços institucionais que permitem o processo de destruição criativa, em vez de impor barreiras para proteger o *status quo*, são as que crescem mais rápido e têm progresso e desenvolvimento econômicos mais robustos.

{ Capítulo 4 }

Mercados contestáveis e a natureza da concorrência

O primeiro conceito que se descarta é o tradicional modus operandi da concorrência [...] Na realidade capitalista, ao contrário do que é descrito nos livros didáticos, o que conta não é esse tipo de concorrência, mas sim a concorrência de novas mercadorias, novas técnicas, novas fontes de fornecimento, novos tipos de organização [...], que atinge não a margem de lucros e a produção de firmas existentes, mas sim as bases da própria existência delas [...] Dificilmente seria necessário observar aqui que a concorrência que temos em mente atua não só quando está presente, mas também quando constitui apenas uma ameaça constante. O empresário sente-se cercado pela concorrência mesmo quando está sozinho em sua área (CSD, p. 84-85).
No clássico jogo de tabuleiro Banco Imobiliário, o objetivo é falir todos os oponentes ao possuir e desenvolver quadras coloridas de propriedades até

restar apenas um jogador. Os jogadores cobram aluguéis de seus oponentes e podem cobrar preços mais elevados conforme adquirem mais propriedades da mesma cor. O jogo é construído com base na ideia de que os monopólios – uma firma controlando o mercado – geralmente produzem resultados piores para os consumidores (preços mais altos, por exemplo) do que mercados caracterizados por muitas firmas individuais concorrendo umas com as outras.

NOSSAS EXPERIÊNCIAS NA VIDA DIÁRIA COSTUMAM REFOR-
çar essa crença negativa acerca de monopólios e mercados dominados por uma ou poucas grandes firmas. De modo geral, os preços, a qualidade e o atendimento ao consumidor são melhores quando lidamos com negócios como lojas de roupas, supermercados ou restaurantes que estão em ramos muito competitivos do que quando lidamos com negócios em mercados com menos concorrência, tais como fornecedores de energia ou TV a cabo, ou mesmo monopólios burocráticos estatais, como os Correios.

Grande parte de qualquer aula sobre princípios microeconômicos no Ensino Médio ou Superior é dedicada a explorar e comparar os resultados que ocorrem sob diferentes estruturas de mercado. Eles normalmente abrangem desde mercados com muitas firmas competindo com produtos similares (mercados competitivos) a mercados dominados por uma (monopólio) ou poucas firmas (oligopólios). Desde a época de Adam Smith, a principal preocupação ao se pensar sobre as diferenças entre tipos de mercados é o nível de concorrência entre firmas, considerada uma força que disciplina o comportamento dos negócios. De forma simples, quando as firmas estão em maior concorrência com outras firmas elas tendem a oferecer preços, qualidade e atendimento melhores ao consumidor, a ser mais inovadoras e eficientes. Como o renomado economista William Baumol resumiu muito bem em seu discurso presidencial à Associação Americana de Economia:

> *A análise padrão nos deixa a impressão de que existe um continuum irregular em termos de conveniência de desempenho industrial, oscilando entre um monopólio puro e desregulado como o [pior] arranjo até a concorrência perfeita como o ideal, com a [conveniência] aumentando [...] conforme cresce o número de firmas. (BAUMOL, 1982, p. 2)*

Em um extremo desse *continuum* da concorrência estão mercados ou indústrias em "concorrência perfeita" (muitas firmas competindo com produtos idênticos), enquanto, do outro, estão mercados monopolísticos (dominados por uma firma). De modo geral, os economistas também consideram dois mercados adicionais no meio do *continuum*, frequentemente chamados de "concorrência monopolística" (muitas firmas competindo com produtos ou serviços diferenciados entre si) e "oligopólio" (poucas grandes firmas rivais). Cada mercado tem propriedades específicas que o identificam e o diferenciam.* Mas, para simplificar, como destaca Baumol, podemos concluir, de modo genérico, que os mercados com mais firmas pequenas são melhores (ou mais eficientes) do que aqueles com poucas firmas grandes.

Joseph Schumpeter foi um dos primeiros economistas a questionar essa explicação genérica, dizendo que a definição tradicional era, de certa forma, enganosa. Após discutir o aumento generalizado da prosperidade e desenvolvimento econômico ocorrido ao longo dos últimos dois séculos antes de *Capitalismo, Socialismo e Democracia* (CSD), ele destaca:

> *Quando procuramos verificar em detalhe os itens particulares responsáveis pelo progresso ter sido proeminente, a pista não nos leva às portas das firmas que operam em condições de concorrência comparativamente livre, mas exatamente aos portões das grandes empresas. [...] Daí surge uma suspeita chocante de que a grande empresa contribuiu mais para a criação de um padrão de vida do que para reduzi-lo. (CSD, p. 82)*

Para Schumpeter, a história econômica real – que balizou sua visão do funcionamento real da economia – retratava uma imagem de progresso baseado na inovação que tinha sido

---

* *Esta nota de rodapé é para os leitores interessados em uma definição rápida desses mercados. No modelo de concorrência perfeita, as firmas são muito pequenas em relação ao mercado, fabricam produtos idênticos (como ovos ou trigo), vendem seus produtos a um preço determinado pelo mercado, e é fácil para novas firmas entrarem e firmas antigas saírem. Os mercados monopolistas são dominados por uma única firma que vende um produto para o qual não existem bons substitutos, e geralmente é protegida da concorrência por algum tipo de barreira (tal como uma licença ou patente) que impede que novas firmas rivais entrem no mercado. Sob a concorrência monopolística (às vezes, chamada de "concorrência imperfeita"), firmas fabricam produtos que são, de alguma forma, diferenciados entre si por fatores como qualidade, localização e marca (exemplo: restaurantes). Um oligopólio é um mercado com apenas um número muito pequeno de grandes firmas rivais que podem, às vezes, fazer um conluio entre si (por exemplo, um cartel).*

produzida, na verdade, por setores industriais dominados por firmas maiores. Mais importante, talvez, foi que Schumpeter examinou essas indústrias e observou inovações disruptivas ao longo do tempo que recriavam as próprias indústrias e a economia de forma mais ampla e, ao fazê-lo, promoviam a reciclagem e a substituição dentro dessas firmas maiores. Em outras palavras, não eram as mesmas grandes firmas que, ao longo do tempo, dominavam essas indústrias.

Schumpeter considerava ambos os casos raros, concorrência perfeita e monopólio: "Se examinarmos mais atentamente as condições [...] que devem ser observadas para produzir a concorrência perfeita, percebemos imediatamente que, fora da produção agrícola em massa, não podemos encontrar muitos exemplos dela" (CSD, p. 78-79); e, da mesma forma, "fica evidente que os casos puros de monopólio no longo prazo devem ser extremamente raros, e que mesmo uma aproximação tolerável dos requisitos do conceito deve ser ainda mais rara do que os casos de concorrência perfeita" (CSD, p. 99).

Na visão de Schumpeter, o aspecto mais importante do verdadeiro processo competitivo não era realmente a contagem do número de firmas *existentes* na indústria (que é a dimensão em que o *continuum* tradicional é construído na Microeconomia). Em vez disso, se é fácil para novas firmas entrarem e competirem (e substituírem) com firmas existentes. Em outras palavras, Schumpeter focava no nível de barreiras capazes de impedir a criação de novas firmas ou a entrada de firmas existentes em mercados existentes. Se retornarmos à citação que abre este capítulo, vemos Schumpeter evitando o padrão "tradicional" ou noção "clássica" de concorrência em favor de uma em que o que importa é a concorrência por novos bens ou tecnologias. Na verdade, Schumpeter escreve na sequência:

> [...] a concorrência de novas mercadorias, novas técnicas, novas fontes de fornecimento, novos tipos de organização [...]. Esse tipo de concorrência é muito mais eficaz do que o outro, da mesma maneira que é mais eficiente bombardear uma porta do que arrombá-la, e, com efeito, tão mais importante que se torna uma questão de comparação indiferente, no sentido prático, se a concorrência faz sentir seus efeitos mais ou menos rapidamente. De qualquer maneira, a poderosa alavanca que, no longo prazo, expande a produção e reduz os preços é constituída de outro material (CSD, p. 84-85).

Assim, a habilidade de novas firmas, bens e tecnologias entrarem e competirem com firmas existentes, e substitui-las através do processo de inovação e destruição criativa ao longo do tempo – ou, pelo menos, a ameaça disso – era um aspecto muito mais importante de concorrência e progresso no mundo real do que os modelos tradicionais de concorrência de preços entre firmas.

Como, então, Schumpeter retifica sua conclusão com a sabedoria aceita de que mercados competitivos geralmente produzem resultados melhores do que indústrias com menos firmas grandes ou monopólio? Ele justifica sua posição diferenciando resultados em um ponto no tempo em comparação com resultados de longo prazo. Schumpeter argumenta:

> Em primeiro lugar, como esse é um processo cujos elementos necessitam de tempo considerável para revelarem suas características verdadeiras e efeitos definitivos, não faz sentido avaliar seu desempenho em um período específico de tempo. Devemos

> *avaliá-lo conforme ele se desenrola durante décadas ou séculos. Um sistema qualquer – econômico ou outro – que, em algum período de tempo, maximiza suas possibilidades pode, com o passar do tempo, revelar-se inferior a outro que não alcança em nenhum momento esses resultados, pois sua incapacidade temporária pode ser uma condição para seu desempenho superior no longo prazo (CSD, p. 83).*

Em essência, a avaliação de Schumpeter o leva a concluir que "a concorrência perfeita não é apenas impossível, mas inferior, e não pode ser apresentada como modelo de eficiência ideal" (CSD, p. 106).

A visão alternativa de Schumpeter é a de que a inovação empresarial cria um poder de monopólio temporário, e lucros, e a busca por esses lucros motiva o processo que se repete ao longo do tempo, gerando desenvolvimento econômico de longo prazo, enquanto grandes firmas conquistam e perdem mercado em indústrias que não são muito competitivas em nenhum momento específico. No longo prazo, as indústrias dominadas por firmas maiores geram mais progresso e prosperidade do que aquelas que são normalmente consideradas "perfeitamente competitivas". Em seu livro, *Business Cycles: A Theoretical, Historical, and Statistical Analysis of the Capitalist Process*, volume 1 (BC1), ele pede aos leitores:

> *[...] imagine um empreendedor que [...] lança uma inovação [...] cujas receitas superam seus custos. Devemos chamar a diferença de lucro do empreendedor ou, simplesmente, lucro. É a recompensa por uma inovação bem-sucedida em uma sociedade capitalista, e é temporária por natureza: desaparecerá no processo subsequente de concorrência e adaptação (BC1, p. 105).*
> *Em alguns casos, no entanto, é bem-sucedida o suficiente para render lucros muito acima do que é*

> *necessário para induzir o investimento correspon-*
> *dente. Esses casos, então, fornecem a isca que atraem*
> *capital para caminhos não percorridos (BCI, p. 90).*

A busca constante do lucro pelos empreendedores, criando inovações que geram poder de monopólio no curto prazo ao substituir firmas antigas, foi o real diferencial competitivo do progresso econômico no longo prazo. A concorrência real que cada firma encarava era a ameaça de ser levada à falência por algo novo – de ser criativamente destruída, por assim dizer. Em outras palavras, a concorrência que preocupa um negócio existente é a ameaça de novos ingressantes:

> *Dificilmente seria necessário observar aqui que a concorrência que temos em mente atua não só quando está presente, mas também quando constitui apenas uma ameaça constante. O empresário sente-se cercado pela concorrência mesmo quando está sozinho em sua área (CSD, p. 85).*
> *Não apenas praticamente todo empreendimento é ameaçado e posto na defensiva no momento em que abre as portas, como também ameaça a estrutura existente de sua indústria ou setor quase tão inevitavelmente (BC1, p. 107).*

Essa ameaça constante de concorrência força as firmas existentes a agirem competitivamente. Precisam continuar a inovar e ter preços competitivos pelo tempo em que a indústria estiver aberta a enfrentar rivais potenciais: "Em muitos casos, mas não em todos, isso irá, no longo prazo, motivar um comportamento muito similar ao padrão de concorrência perfeita" (CSD, p. 85).

Essa ideia de que não é o número atual de firmas em um dado setor industrial, mas sim a abertura do mercado à entrada de novos concorrentes, que importa para avaliar se a conveniência dos resultados de mercado foi desenvolvida mais detalhadamente na teoria moderna dos mercados "contestáveis" presente na obra de William Baumol.* Segundo ele, "um mercado 'contestável' é aquele em que a entrada é absolutamente livre, e a saída é absolutamente sem custo". Os resultados nesses mercados são:

> [...] totalmente livres da dependência prévia dos concorrentes e, em vez disso, [dependem] das pressões da concorrência potencial; [o resultado nesses mercados contestáveis] é, de modo geral, caracterizado por um comportamento ótimo, e, ainda assim, se aplica a toda a gama de estruturas da indústria, inclusive monopólio e oligopólio (BAUMOL, 1982, p. 2)

Frente a esses argumentos, fica claro que o problema não é simplesmente de uma indústria dominada por uma única firma (ou seja, um "monopólio") ou diversas firmas grandes, mas sim o problema de uma firma ou indústria protegida das forças dinâmicas da concorrência. Por exemplo, quando as políticas governamentais impedem novas firmas de entrarem e competirem com firmas existentes, esses são os mercados onde os resultados provavelmente serão inferiores. A ameaça da entrada constitui-se na chave para bons resultados, e as políticas governamentais que impedem ou reduzem essa ameaça são prejudiciais.

A obra de Schumpeter também tem implicações importantes para a política antitruste do governo. A política antitruste padrão, que foca nos níveis atuais de concorrência dentro de um determinado setor industrial, ignora o que Schumpeter considerava o

---

* Veja William J. Baumol (1982).

grau mais importante de concorrência: a ameaça de novas firmas e novos produtos. Retrospectivamente, podemos ver que a preocupação com a monopolização ao longo do século XX se provou desnecessária, haja vista que as companhias supostamente criminosas foram destruídas criativamente por novas firmas ou tecnologias. Você já ouviu falar do monopólio da AOL nos serviços de mensagens instantâneas, do monopólio digital do MySpace nas redes sociais, do monopólio da Nokia no mercado de celulares ou do monopólio da Great Atlantic e Pacific Tea Company no setor alimentício? Provavelmente não, porque, embora essas empresas fossem vistas, na época, como monopólios problemáticos que exigiam intervenção governamental (o que, às vezes, ocorreu), foram todas substituídas pela destruição criativa.*

As inovações das firmas cíclicas dominantes – da Microsoft à Apple, da substituição da Blockbuster pela Netflix, do ataque da Uber ao segmento de táxi – exemplificam o que Schumpeter considerava a verdadeira concorrência. Mais importante, esse tipo de concorrência é responsável por uma parcela maior do desenvolvimento econômico ao longo do tempo do que a concorrência padrão que caracteriza mercados com muitas firmas pequenas produzindo produtos idênticos, como a concorrência entre produtores de trigo (existem mais de 20 mil deles só no estado do Kansas!). Assim, os mercados "ideais" para inovação competitiva que gera progresso não são necessariamente os mercados mais apreciados na teoria econômica classificados como "competitivos". A implicação mais importante para a política governamental é que ela não deve impedir ou limitar esse tipo de concorrência protegendo firmas ou indústrias de nova concorrência.

---

* *Para mais exemplos e detalhes, veja Ryan Bourne (2019).*

{ Capítulo 5 }

Ciclos econômicos: entendendo as oscilações da economia

O capitalismo é, essencialmente, um processo de mudança econômica (endógena). O capitalismo só pode sobreviver na atmosfera das revoluções industriais, marcada pelo "progresso". Nesse sentido, o capitalismo estabilizado é uma contradição em termos (BC, p. 405).

Os períodos recorrentes de prosperidade do movimento cíclico são a forma que o progresso assume em uma sociedade capitalista (EBC, p. 30).

Como muitos de seus contemporâneos, Schumpeter buscava entender a natureza e as causas dos ciclos econômicos, isto é, as oscilações da economia de expansão e prosperidade para recessão e, às vezes, crise econômica e depressão. O trabalho de Schumpeter em The Theory of Economic Development (TED), associado à sua obra-prima posterior, Business Cycles (BC1), focou na questão mais ampla de como e por que as economias progridem. Uma de suas muitas

45

contribuições para o estudo dos ciclos econômicos foi introduzir a inovação como uma explicação causal.* Um aspecto sutil de seu argumento, mas que precisa ser reconhecido, é que, para Schumpeter, o ciclo econômico, ou a flutuação entre expansão e contração, é um fenômeno natural, "como as batidas do coração" (BC1: v).

ESSA PERSPECTIVA EVOLUCIONÁRIA PARA ENTENDER OS CICLOS

econômicos e seu papel no progresso geral crescente das economias contrastava Schumpeter com muitos de seus colegas contemporâneos, que acreditavam que as flutuações econômicas poderiam e deveriam ser administradas pelo governo. Além disso, colocavam-no em conflito com a Escola Austríaca, que foi muito importante em sua formação.

Para entender a concepção de Schumpeter sobre o ciclo econômico precisamos relembrar como ele define inovação em *The Explanation of the Business Cycle* (EBC):

> *[...] principalmente, mudanças nos métodos de produção e transporte, mudanças na organização industrial, na produção de um novo bem, na abertura de novos mercados ou novas fontes de matérias-primas (EBC, p. 30).*

Schumpeter explica os ciclos econômicos com base em sua experiência e análise da história econômica, começando com uma grande inovação dos empreendedores. A inovação inicial e o potencial de um monopólio para gerar lucros estimulam o

---

* *Para mais informações sobre a visão de Schumpeter da interconexão entre progresso e ciclos econômicos causados pela inovação empreendedora, recomendo Rosenberg e Frischtak (1983).*

investimento em fábricas, maquinário, equipamentos e, talvez, em mais pesquisa. Para Schumpeter, no entanto, é fundamental que esses investimentos e atividade econômica se agrupem dentro do único ramo da economia em que a inovação ocorre (EBC, p. 30). Em outras palavras, na primeira fase da expansão, a prosperidade ou desenvolvimento econômico não ocorre de forma ampla na economia, mas apenas em um setor específico.

Os investimentos e a expansão da atividade econômica no setor têm dois efeitos importantes. Primeiro, atraem recursos para o setor de outras partes da economia, incluindo matérias-primas, capital e trabalho. E, fundamental para Schumpeter, os empresários começam a dirigir sua atenção e recursos para esse setor. Como Schumpeter explicou:

> Por que os empresários não aparecem de forma contínua, ou seja, individualmente, a cada intervalo escolhido apropriadamente, mas sim em grupos? Justamente porque o aparecimento de um ou de poucos empresários facilita o aparecimento de outros, e esses provocam o aparecimento de mais outros, num processo que nunca cessa (TED, p. 228).

Conforme mais e mais recursos são realocados para o setor em expansão, os preços desses recursos, incluindo matérias-primas, capital e trabalho, começam a subir. Schumpeter descreveu o processo da seguinte forma:

> [...] o aparecimento de novas combinações em conjunto explica fácil e precisamente os traços fundamentais dos períodos de expansão. Explica por que o aumento do investimento de capital é o primeiro sintoma da fase da expansão, por que as indústrias fabricantes de meios de produção são as

primeiras a apresentar movimentação acima do normal [...] Explica o aparecimento, em grande volume, de novo poder de compra, e com isso, o aumento característico dos preços durante as expansões, o que, obviamente, nenhuma referência ao aumento das necessidades ou ao aumento dos custos pode satisfatoriamente explicar (TED, p. 230).

Conforme o setor que primeiro inovou expande e atrai recursos para si, os preços fora dele também começam a subir. Especificamente, firmas e empresários começam a investir em outros setores em expansão por causa do aumento na demanda do setor originalmente impactado pela inovação. Entre essas firmas, por exemplo, temos fornecedores de matérias-primas e fornecedores de bens e serviços intermediários. À medida que mais firmas, tanto dentro do setor inicialmente afetado pela inovação quanto em outros setores da economia afetados pela expansão, disputam recursos, incluindo mão de obra, e competem por investimentos, os preços tendem a subir. No decorrer dessa fase, o desemprego cai, enquanto os salários aumentam, explicando a prosperidade geral experimentada na economia durante as expansões.

Em percepção bem à frente de seu tempo, Schumpeter reconheceu o papel da difusão da inovação inicial. Vislumbrou um processo pelo qual a inovação inicial era replicada por outros empresários do mesmo setor. Não obstante, no decorrer da expansão, os benefícios da inovação se difundiam na economia geral.*

Para Schumpeter, então, a fase de expansão do ciclo econômico começa com uma inovação inicial que atrai recursos,

---

* *Para mais informações sobre o papel da difusão no conceito de "ciclo econômico" de Schumpeter, que é um fator-chave em sua concepção da fase de expansão dos ciclos econômicos, veja Aghion, Akcigit e Howitt (2013).*

particularmente empreendedores, para o setor em que ela ocorre. À medida que esse setor atrai recursos e novas firmas progridem, a atividade econômica em setores relacionados também se expande. Por fim, a prosperidade nesses setores direta e indiretamente afetados gera expansão econômica, reduzindo desemprego, aumentando salários e impulsionando investimento. Como Schumpeter descreveu: "a produção de ondas secundárias dissemina a prosperidade por todo o sistema econômico" (TED, p. 230).

Assim como na fase expansionista, Schumpeter explica a recessão ou estágio recessivo, com base na inovação inicial. Schumpeter considerava as contrações e recessões econômicas como a forma pela qual a economia reagia à inovação. Como o aclamado economista Alvin Hansen destaca ao analisar as contribuições de Schumpeter para nossa compreensão dos ciclos econômicos, "a depressão é um processo de adaptação à mudança introduzida pela expansão (Hansen, 1951, p. 129). A adaptação no centro do conceito schumpeteriano de contração econômica tem relação com a concorrência entre firmas novas e existentes, tanto dentro do setor inicialmente afetado pela inovação quanto em outros setores da economia afetados por ela. As firmas são forçadas a competir com novos produtos, processos e mercados, e com outras inovações. Essa adaptação inclui a saída de firmas de um determinado ramo ou, talvez, sua absorção por firmas mais eficientes, demissões e ajustes substanciais a novos mercados de produtos e serviços.

É a "destruição criativa" da inovação empresarial que Schumpeter via como a característica fundamental do capitalismo empresarial. Especificamente:

O efeito do surgimento de novos empreendimentos en masse sobre as firmas antigas e sobre a situação econômica estabelecida, considerando o fato [...] de que, em regra, o novo não nasce do velho, mas aparece ao lado deste e o elimina na concorrência, é para mudar todas as condições que se torna necessário um processo especial de adaptação (TED, p. 216).

Mais especificamente, Schumpeter observou que diversos fatores se fundiam para explicar a transição de uma fase de expansão para contração.* Em primeiro lugar, como notado acima, muitas firmas fracassam à medida que seus produtos e serviços são substituídos por produtos e serviços vindos da inovação. Em segundo, os sucessos da fase de expansão elevam os preços das matérias-primas e, potencialmente, da mão de obra, que reduzem as expectativas de lucro e, portanto, de investimento. Terceiro, o surgimento de novas firmas e mais concorrência no setor originalmente afetado pela inovação reduz os preços de novos produtos e serviços disponibilizados por ela, o que, novamente, reduz investimentos adicionais. Em quarto lugar, Schumpeter observou que os empreendedores poderiam "superestimar" as oportunidades no setor e, potencialmente, "investir demais". Esse último ponto é importante, embora normalmente negligenciado, mas Schumpeter entendia ser possível que os empreendedores cometessem erros.

Um exemplo concreto pode ajudar a ilustrar a dinâmica que Schumpeter vislumbrava para explicar a expansão da economia. Uma grande inovação empresarial que interessava a Schumpeter, como a ferrovia ou a eletricidade, é o

---

* Para uma discussão aprofundada sobre o conceito de Schumpeter acerca dos motivos da recessão, veja Dal-Pont Legrand e Hagemann (2007).

desenvolvimento do chip de computador. Foram necessárias grandes quantidades de investimento e de tempo para essa inovação tecnológica influenciar a economia. No típico estilo schumpeteriano, empreendedores e investimentos fluíram primeiro para o setor de tecnologia. Muitas novas firmas foram criadas para tentar capitalizar essa nova tecnologia. Ela atraiu recursos adicionais e mão de obra especializada. Grandes agrupamentos dessa atividade se formaram em lugares como o Vale do Silício, Boston, no estado de Massachusetts, e partes do Texas.

Esse ciclo foi amplificado na medida em que surgiu o mercado do computador pessoal. Firmas de sucesso estavam atraindo recursos de outros setores da economia, como engenheiros e programadores. Além disso, lideravam a demanda por vários insumos necessários para produzir computadores, incluindo plásticos, alumínio, fios, monitores etc. Por fim, houve a eliminação de algumas firmas do setor. Muitas firmas faliram, enquanto muitas outras foram absorvidas por firmas mais bem-sucedidas. Os aspectos expansionistas desse exemplo sobre como uma inovação empresarial pode ser viabilizada ou, como Schumpeter argumentaria, gerar expansão econômica, encontra comprovação histórica. De fato, diversos economistas notaram como é "persuasiva" a análise de Schumpeter a respeito da fase expansionista do ciclo econômico (Hansen, 1951, p. 132).

Um tema muito popular na época e relacionado ao estudo de Schumpeter sobre os ciclos econômicos é a ideia das ondas longas de crescimento econômico. Um grande número de economistas renomados estava trabalhando na ideia de que as economias experimentam crescimento econômico em ondas. Embora não fosse uma percepção crítica do mesmo nível da obra de Schumpeter sobre empreendedorismo, ciclos econômicos ou concorrência, é importante retomar brevemente a obra dele nessa área, já que é uma extensão de seu trabalho acadêmico sobre os ciclos de negócios.

Na época, havia diversas teorias concorrentes sobre ondas de crescimento econômico: Joseph Kitchin, um estatístico britânico, propôs a hipótese de que as ondas duravam, aproximadamente, de três a cinco anos, com ênfase nas mudanças de inventário; o economista francês Clément Juglar pensava que as ondas eram mais longas e explicadas por mudanças no investimento fixo; o renomado economista norte-americano Simon Kuznets acreditava que as ondas eram muito mais longas, variando de 15 a 25 anos, atreladas ao investimento em infraestrutura; e, por fim, o economista russo Nikolai Kondratiev vislumbrava ondas ainda mais longas, com duração de 45 a 60 anos, cujas raízes estavam nas inovações tecnológicas (De Groot and Franses, 2005, p. 7-8). A contribuição de Schumpeter para a teoria das ondas longas de crescimento econômico foi sintetizar as obras desses grandes economistas em uma teoria predominante. Em essência, Schumpeter defendia que essas quatro ondas existiam umas dentro das outras, e que o processo mais amplo se baseava, como argumentou Kondratiev, na inovação tecnológica. As ondas mais curtas ocorriam dentro da onda Schumpeter-Kondratiev de crescimento de longo prazo.

Usando o exemplo anterior do surgimento do chip de computador como uma inovação empresarial, Schumpeter teria explicado que os mais de 40 anos de crescimento econômico tinham se baseado nessa inovação original. As ondas curtas dentro da onda mais longa de crescimento teriam sido baseadas na construção de redes de fornecimento e no surgimento de inovações baseadas no chip de computador original, tais como os smartphones. Além disso, o surgimento e falência de firmas concorrentes dentro de cada onda de crescimento mais curta teria sido parte do processo contínuo de adaptação que Schumpeter vislumbrava como explicação para parte das forças na recessão, mas também como chave para a evolução da economia.

Embora seja possível discutir a precisão e a utilidade de conceitualizar o crescimento em ondas longas, ele ilustra a posição central que Schumpeter concede à inovação empreendedora para explicar o progresso econômico. Segundo Schumpeter, o crescimento econômico e o progresso, de modo geral, acontecem quando os benefícios de novas inovações, tais como o chip de computador, são difundidos na economia. No entanto, ele também explica as contrações com base nas inovações, já que elas inevitavelmente, ou, de forma mais precisa, naturalmente, levam à substituição de produtos e serviços que já existiam e das firmas que os forneciam por novos produtos, novos serviços e novas firmas. O *insight* central de Schumpeter de que a economia expande e contrai em resposta à inovação empresarial é uma ideia que continua a moldar e influenciar os economistas modernos e nossa compreensão do progresso.

Capítulo 6

Democracia, escolha pública e política governamental

Nada é mais fácil do que compilar uma lista impressionante de fracassos do método democrático, especialmente se incluirmos não apenas os casos em que houve real colapso ou insatisfação nacional, mas também aqueles em que, embora a nação tivesse levado uma vida próspera e sadia, o desempenho do setor político foi patentemente inferior em relação a outros (CSD, p. 289).

Joseph Schumpeter é amplamente reconhecido por suas contribuições seminais para nossa compreensão do papel dos empreendedores, da inovação e da destruição criativa no crescimento e desenvolvimento econômicos. Contudo, as concepções econômicas de Schumpeter vão muito além de seu conhecido trabalho sobre inovação. Outra área em que ele estava muito à frente de seu tempo e sobre a qual trouxe verdadeiro esclarecimento é a natureza da política e do processo democrático de decisão coletiva. A análise econômica do processo *político e decisão coletiva é o foco da moderna área de conhecimento conhecida como Escolha Pública. Embora tenha sido escrito antes da origem formal desse campo da economia, alguns dos primeiros estudiosos, como Anthony Downs, citaram e atribuíram algumas de suas ideias ao que Schumpeter escreveu em Capitalismo, Socialismo e Democracia (CSD).*[*]

AS IDEIAS DE SCHUMPETER SOBRE O FUNCIONAMENTO DO

governo provavelmente advêm de sua experiência prática como ministro das finanças na Áustria. Na época, e mesmo hoje, grande parte da análise econômica da intervenção governamental estava baseada em um conjunto de suposições implícitas (às vezes, explícitas) sobre os agentes políticos – líderes e burocratas altruístas e benevolentes preocupados apenas com o interesse público, livres da influência de grupos de interesse. De fato, grande parte do intervencionismo em política macroeconômica defendido por John Maynard Keynes depende implicitamente das ações sábias de agentes governamentais benevolentes que se preocupam altruisticamente com o bem comum. Por experiência própria, Schumpeter sabia que essas suposições estavam incorretas.

Schumpeter entendia que a democracia era apenas um processo alternativo para produzir resultados sociais e econômicos, e que "não necessariamente entende que as decisões políticas produzidas por esse processo, baseado na matéria-prima dessas vontades individuais, representam coisa alguma que,

---

[*] Em Uma teoria econômica da democracia, Downs escreve: "a análise profunda de Schumpeter da democracia inspira e baliza toda nossa tese, e temos uma dívida de gratidão a ele" (1957, p. 29).

convincentemente, pode ser chamada de vontade do povo" (CSD, p. 254). Falando da ideia de que o governo busca o bem comum, Schumpeter argumenta:

> Não há, para começar, um bem comum inequivoca-mente determinado que todas as pessoas aceitem ou que possam aceitar por força de argumentação racional. Isso não se deve primariamente ao fato de que as pessoas podem desejar outras coisas que não o bem comum, mas pela razão mais fundamental de que, para diferentes indivíduos e grupos, o bem comum provavelmente significará coisas muito diver-sas e, [...] em consequência, desaparece o conceito particular de "vontade do povo" (CSD, p. 25' 52).

Schumpeter reconhecia que, para entender os resultados democráticos, é preciso compreender as motivações e os desejos diferentes dos indivíduos envolvidos no processo, sejam eles eleitores, políticos eleitos ou administradores e burocratas na gestão das agências governamentais. Ou seja, para entender os resultados democráticos, deve-se entender o papel do que ele denominou "natureza humana na política". Assim, Schumpeter compartilhava uma percepção comum com os fundadores da teoria da escolha pública, como o vencedor do prêmio Nobel James Buchanan, que reconheceu que, só porque os indivíduos entram para a vida pública, não começam a agir repentinamente para o bem comum – em vez disso, continuam a ser agentes que privilegiam os interesses pessoais, preocupados apenas com os próprios objetivos e desejos.

Segundo Schumpeter, a democracia é mais bem entendida da seguinte maneira: "o método democrático é o arranjo institucional para se chegar a certas decisões políticas que materializam o bem comum, cabendo ao próprio povo decidir, por meio do voto, quem serão seus representantes (CSD, p. 269). Segundo Schumpeter:

> [...] à medida que existem vontades realmente coletivas autênticas [...] podemos agora colocá-las de maneira exata no papel que realmente desempenham. [...] São ressuscitadas por algum líder que as transforma em fatores políticos, [...] moldando--as e, por fim, incluindo incentivos apropriados em seu programa de ação. A luta competitiva incessante para chegar e manter-se no poder influencia todas as considerações políticas e mede o viés tão admiravelmente expressado pela frase sobre o "comércio de votos" (CSD, p. 270; 287).

Assim, ao buscar a eleição (ou reeleição), os políticos devem prometer a concessão de benefícios a grupos de interesses específicos para obter seus votos, apoio político e contribuições de campanha. Tais grupos "podem consistir de políticos profissionais, porta-vozes de grupos econômicos, idealistas de um tipo ou de outro, ou pessoas simplesmente interessadas em montar e dirigir espetáculos políticos [...] conhecendo a natureza humana na política, tais grupos podem, dentro de limites muito amplos", moldar os resultados do processo político (CSD, p. 263).

Um desses grupos de interesse é o dos negócios ameaçados pela destruição criativa, que busca fazer que o governo restrinja a concorrência. Em seu livro *Business Cycles* (BC1), Schumpeter destaca:

> Esses esforços por uma fatia dos lucros que foram obtidos são, todavia, menos importantes para nosso tema do que os esforços para conservar o próprio fluxo de lucros [...] Considerando a indústria como um todo, há sempre uma esfera inovadora

> em conflito com uma esfera "antiga", que, às vezes, tenta garantir a proibição de novas formas de fazer as coisas (BC1, p. 106-108).

Os argumentos de Schumpeter sobre o alto nível de influência que os grupos de interesse especial têm no processo político, e como ela cresceria ao longo do tempo dentro de uma democracia, foi uma visão que só seria amplamente reconhecida posteriormente na literatura acadêmica.*

Uma razão pela qual os grupos de interesse são capazes de levar vantagem no processo político é a ignorância generalizada dos eleitores sobre questões políticas, fato que Schumpeter reconheceu explicitamente como uma fonte dos fracassos do processo democrático:

> Por outro lado, o reduzido senso de responsabilidade e a ausência de vontade efetiva explicam a ignorância e a falta de bom senso do cidadão comum em assuntos de política interna e externa. Essa ignorância é ainda mais chocante no caso de pessoas educadas e muito ativas em esferas não políticas da vida, do que no caso de pessoas sem educação e de situação mais humilde. Nesse caso, todavia, isso não parece fazer qualquer diferença [...] O cidadão comum, por conseguinte, perde capacidade mental logo que entra no campo político. Argumenta e analisa de uma maneira que ele mesmo reconheceria imediatamente como infantil na esfera de seus próprios interesses. Torna-se primitivo novamente (CSD, p. 261-262).

---

* *Essa ideia é mais comumente associada ao trabalho de Mancur Olsen em seu livro* The Rise and Decline of Nations *(1982).*

A moderna teoria da escolha pública nos ajuda a entender que, como é improvável seus votos alterarem o resultado, os eleitores têm pouco incentivo a se informar sobre questões políticas ou a participar do processo político. Por exemplo, você saberia dizer o nome dos representantes eleitos por você para os governos local e nacional, ou quais questões estão sendo votadas hoje por esses indivíduos? A maioria das pessoas não sabe. Se isso o fizer sentir melhor, um vídeo viral de 2013 mostrou um repórter do jornal *Harvard Crimson* perguntando a estudantes pelo campus qual era a capital do Canadá, e a grande maioria dos alunos de Harvard não sabia que era Ottawa.* O ponto é que, mesmo pessoas espertas são espertas o bastante para saber que existem coisas com as quais não vale a pena perder tempo para aprendê-las e relembrá-las. Nossa limitação cerebral ou mental é mais bem usada em coisas que têm mais importância em nosso dia a dia.

Quando uma grande proporção dos eleitores não tem motivação para se informar e participar, isso dá uma vantagem a subgrupos de eleitores e grupos de interesse específicos no processo político para alcançar seus fins comuns à custa do público em geral.** Em razão dessas limitações e fracassos do processo

---

* *Para ver esse vídeo interessante, veja Zhang (2013). Disponível em: https://www.youtube. com/watch?v=r0fdYhgJIeE.*

** *A moderna teoria da escolha pública também sugere que o processo político costuma ter um viés favorável à produção de resultados de curto prazo que tendem a criar benefícios de curto prazo muito visíveis para grupos de interesse, especialmente quando os custos estão distantes no futuro e difíceis de discernir, ao mesmo tempo que assume um viés contrário a empreender ações que geram benefícios futuros, mas que exigem custos visíveis no presente. De forma simples, com relação aos mercados, os governos tendem a dar mais peso a aspectos mais visíveis no curto prazo do que no longo prazo. Schumpeter claramente concordava com isso, já que a democracia "obriga o homem no comando, ou os homens próximos a ele, a adotar opiniões em curto prazo que lhe dificultam servir aos interesses de longo prazo da nação, que podem exigir trabalho persistente para objetivos remotos (CSD, p. 287).*

decisório democrático, Schumpeter acreditava que deveria haver restrições ao escopo da ação governamental:*

> *A segunda condição para o êxito da democracia é que o campo real de decisões políticas não deva ser muito amplo. [...] Porém, para funcionar de maneira adequada, esse parlamento deve impor-se certos limites [...] sobre as atividades do Estado (CSD, p. 291-292).*

No livro *The Economics and Sociology of Capitalism* (ESC), Schumpeter ofereceu visões adicionais sobre como as políticas governamentais influenciam os incentivos para produzir e inovar, bem como um prognóstico quanto ao futuro do Estado sob a democracia. Schumpeter se preocupava com o futuro do governo (ou, como ele o chamava, o "estado tributário") sob a democracia à medida que mais e mais grupos exigem programas sociais e gastos do governo, afirmando que, se "a vontade do povo exigir despesas públicas cada vez maiores, se mais e mais meios forem usados para tal, [...] o estado tributário pode colapsar" (ESC: 116).

A principal preocupação de Schumpeter na época, todavia, era que a interferência governamental na economia, especialmente por meio da política tributária, tinha consequências negativas sobre a inovação e o progresso. Ele cita:

> *[...] a grande quantidade de energia que é desperdiçada na luta contra as correntes que as irracionais legislação, administração e política impõem à pessoalidade, afastando o empreendedor de sua organização, tarefas técnicas e comerciais, obriga-o*

---

* Essa ideia de impor restrições (quase sempre, constitucionais) sobre a ação democrática para evitar falhas e mau uso está no cerne da maioria dos sistemas democráticos ocidentais.

a percorrer os porões da política e administração como único caminho para o sucesso (ESC, p. 129).

Quando a ação governamental abrange um escopo grande demais e os grupos de interesses têm altos níveis de influência sobre o processo, indivíduos (incluindo empreendedores) são encorajados a direcionar suas ações para o processo político a fim de garantir favores e influenciar políticas. Schumpeter indica que, à medida que isso ocorre, grandes quantidades de talento produtivo são desperdiçadas em uma sociedade.*

Schumpeter se preocupa claramente com o impacto dos tributos sobre o crescimento em função de reduzirem os incentivos a produzir e inovar:

> *[...] todo mundo trabalha e economiza para si e sua família [...] O que é produzido, é produzido para os propósitos de agentes econômicos privados. [...] Nesse mundo, o Estado vive como um parasita econômico: pode extrair da economia privada só o tanto que é consistente com a existência continuada desse interesse individual. [...] Em outras palavras, o estado tributário não deve exigir tanto das pessoas a ponto de elas perderem o interesse financeiro em produzir, ou em qualquer nível, pararem de usar suas melhores energias para tal (ESC, p. 112).*

Especificamente, acerca da tributação do lucro do empreendedor, ele declara:

> *Se esse lucro fosse tributado, faltaria aquele elemento do processo econômico que, no presente,*

---

* *Para leitores interessados em mais detalhes sobre essa ideia, conhecida como "empreendedorismo improdutivo", ver Sobel (2015, p. 48-50).*

> é, de longe, o motivo individual mais importante
> para o trabalho em direção ao progresso industrial.
> Mesmo se a tributação apenas reduzisse substan-
> cialmente esse lucro, o desenvolvimento industrial
> seria consideravelmente mais lento. [...] Existe um
> limite para a tributação do lucro empresarial além
> do qual a carga tributária não pode ir sem prejudi-
> car e, depois, destruir o que é tributado (ESC, p. 114).

Embora o economista Arthur Laffer tenha se popularizado pela ideia de que, quando os tributos são altos o bastante, podem desencorajar a atividade econômica de forma a diminuir a base tributária – e que, nessas situações, reduzir as alíquotas de impostos pode, de fato, elevar as receitas –, Schumpeter afirmou muito antes que:

> Existe um nível além do qual novos aumentos de
> tributos não significam aumento, mas redução de
> receitas [...] Quase todos os países têm sobretaxado
> alguns artigos a ponto de uma redução de tributos
> levar a um aumento nas receitas (ESC, p. 113).

Assim como em seu trabalho sobre empreendedorismo e inovação, Schumpeter também ofereceu visões-chaves sobre a natureza e o fracasso do processo decisório na democracia, e como as tarifas podem potencialmente prejudicar a economia ao reduzir os incentivos para inovar. A análise de Schumpeter sobre as restrições da ação governamental nos ajuda a entender que o processo político é simplesmente um mecanismo alterna-tivo para tomar decisões sobre o uso e alocação de recursos pro-dutivos – e que, como tal, tem suas limitações e fracassos. Logo, as ações do Estado deveriam estar sujeitas a limites. O governo democrático não é um meio que, de forma automática, produz resultados que são do interesse da sociedade, tampouco deve ser interpretado como uma "vontade do povo" unificada. A defesa da intervenção governamental, mesmo em situações em que os mercados podem não alcançar os melhores resultados, deve ser avaliada cuidadosamente, visto que governos democráticos também têm seus fracassos arraigados na natureza humana dos indivíduos, ou, como colocaria Schumpeter, na "natureza humana na política".

{ Capítulo 7 }

O capitalismo pode sobreviver?

O capitalismo pode sobreviver? Não, creio que não [...] o próprio sucesso do capitalismo solapa as instituições sociais que o protegem, e inevitavelmente cria as condições em que não poderá sobreviver, apontando claramente o socialismo como seu herdeiro legítimo (CSD, p. 61).

Talvez o aspecto mais interessante de uma vida inteira trabalhando com Economia seja a similaridade entre as obras de Schumpeter e Karl Marx, o mais reconhecido escritor socialista na história. O que torna essa similaridade surpreendente é que as maiores percepções de Schumpeter dizem respeito ao papel do empreendedor inovador no capitalismo. Ainda assim, apesar dessa visão, Schumpeter acreditava, como Marx, que o capitalismo inevitavelmente seria substituído pelo socialismo como resultado de forças internas. Em Capitalismo, Socialismo e Democracia, o próprio Schumpeter declara: "Minha conclusão não diverge, por mais que divirja meu argumento, daquela da maioria dos escritores socialistas e, em particular, dos marxistas" (CSD, p. 61). *

EXISTEM, TODAVIA, DUAS DIFERENÇAS IMPORTANTES

entre as análises de Schumpeter e Marx sobre o fim do capitalismo. Primeiro, enquanto Marx desejava pessoalmente o socialismo por acreditar ser um sistema econômico superior, Schumpeter não tinha esse desejo: "O prognóstico não tem qualquer implicação sobre a desejabilidade do curso dos eventos que se predizem. Se um médico predisser que o paciente morrerá em breve, isso não implica que ele deseje a sua morte" (CSD, p. 61). Schumpeter acreditava firmemente no poder da inovação privada e do empreendedorismo. Acreditava que o capitalismo produzia benefícios muito superiores aos resultantes do socialismo. Diferentemente de Marx, Schumpeter não queria que o capitalismo fosse substituído pelo socialismo nem pensava que essa transição seria benéfica para o bem-estar da sociedade.

Segundo, embora ambos acreditassem que haveria uma transição inevitável do capitalismo para o socialismo, discordavam das causas. Marx acreditava que o capitalismo produziria desigualdades, monopólios e falências econômicas que levariam

---

* *Na biografia definitiva de Schumpeter,* Prophet of Innovation (2009), *Thomas K. McCraw argumenta que a discussão de Schumpeter sobre a substituição efetiva do capitalismo pelo socialismo deveria ser interpretada de forma sarcástica, pelo menos em certa medida. McCraw escreve: "de modo geral, a organização da discussão de Schumpeter sobre o socialismo se parece com um jogo de copos. No início, seu argumento parece querer demonstrar a viabilidade do socialismo como possível substituto do capitalismo. Mas, logo a seguir, há uma longa série de condições e suposições complicadas que suscitam dúvidas sobre sua franqueza. [...] Uma leitura cuidadosa deixa poucas dúvidas de que seu propósito foi elogiar o capitalismo e condenar o socialismo. Mesmo assim, a ironia de Schumpeter não foi detectada por muitos leitores" (2009, p. 366-367).*

a uma revolta da classe trabalhadora "explorada" (o "proletariado") contra a classe rica (a "burguesia"), dona dos meios de produção. Em total contraste, com base em sua análise da história, Schumpeter acreditava que o capitalismo beneficiava bastante a classe trabalhadora:

> A rainha Elisabete I possuía meias de seda. A contribuição capitalista não consiste normalmente em produzir mais meias de seda para rainhas, mas pô-las à disposição das operárias, como recompensa de um volume cada vez menor de trabalho (CSD, p. 67).

Schumpeter claramente descarta o argumento de Marx em um ensaio publicado em 2008, uma coletânea de seus escritos intitulada *Essays on Entrepreneurship, Innovations, Business Cycles, and the Evolution of Capitalism* (EOE):

> Em Marx, é necessário separar os argumentos da resposta em si. Todos os seus argumentos, mas, em particular, aquele que afirma que o proletariado será incitado à revolução por conta de uma miséria crescente, podem se provar inválidos. Mas isso não nos livra da resposta em si, já que é possível chegar a um resultado correto por métodos falhos (EOE, p. 207-208).

Então, embora concordasse com Marx a respeito de que o capitalismo seria substituído pelo socialismo, discordava totalmente dele sobre a causa da transição. Em vez disso, Schumpeter acreditava que o capitalismo seria destruído por seu próprio sucesso econômico à medida que produzisse uma classe intelectual que se dedicaria, posteriormente, a destruir os sistemas de propriedade privada e contrato privado que o sustentam. Contribuindo para essa transição, Schumpeter também acreditava que o empreendedorismo e a inovação se tornariam burocráticos dentro das grandes firmas, tornando-se parte da rotina de especialistas:

> *Observamos que a liderança individual do empreendedor tende a perder importância, sendo paulatinamente substituída pelo trabalho em equipe mecanizado de funcionários especializados dentro das grandes corporações, [...] e que o processo capitalista, em razão do próprio sucesso, tende a elevar as posições econômica e política dos grupos que lhe são hostis, transferindo a atividade econômica da esfera privada para a pública, ou, melhor dizendo, em direção à burocratização crescente da vida econômica (EOE, p. 207-208).*

Embora afirmasse claramente que a teoria marxista estava "aberta a sérias objeções", Schumpeter concordava com Marx acerca da existência de uma tendência à "combinação industrial" e ao "surgimento de preocupações mais amplas", "cartéis", "trustes" e "grandes corporações" (EOE, p. 197). Na visão de Schumpeter, isso erodia a função e a condição do empreendedor na sociedade:

> *Nesse caso, a inovação já não é mais incorporada tipicamente nas novas firmas, mas segue dentro de grandes unidades existentes, independentemente de indivíduos particulares, como assunto de especialistas [...] O progresso se torna "automatizado", cada vez mais impessoal e cada vez menos uma questão de liderança e iniciativa individual (EOE, p. 70-71).*

Na visão de Schumpeter, o fluxo contínuo de inovação de produto se torna algo que as pessoas subestimam, e essas inovações tornam-se parte da rotina das grandes firmas. O progresso já não é mais atribuído à inovação de indivíduos empreendedores. As consideráveis classes política e social de pequenos empreendedores mercantis e seus funcionários, que se sentiam parte direta do sistema econômico do capitalismo e da propriedade privada, são substituídos por funcionários, gestores e acionistas emocionalmente desconectados de grandes firmas burocráticas. Assim, o empreendedor deixa de figurar no topo da pirâmide social. Durante esse processo, os indivíduos perdem de vista o capitalismo como a verdadeira fonte histórica de sua prosperidade e benefícios de longo prazo. Em vez disso, buscam utilizar o controle governamental expandido para aliviar preocupações econômicas e problemas sociais de curto prazo conforme aparecem, sem perceber os efeitos secundários prejudiciais de longo prazo.

Embora Schumpeter acreditasse que a automação do papel do empreendedor e a "racionalização" da mente humana tivessem um papel no colapso do capitalismo, o papel principal é da falta de apoiadores intelectuais e políticos que protejam as instituições da propriedade privada e dos contratos. Para entender melhor essa parte de seu argumento, é preciso entender as características que definem o capitalismo, segundo Schumpeter:

> *Uma sociedade é capitalista quando seu processo econômico é guiado pelo empresário privado. Pode-se dizer que isso implica, em primeiro lugar, a propriedade de meios não pessoais de produção, como terras, minas, fábricas e equipamento; e, em*

*segundo lugar, a produção privada para lucro privado (EOE, p. 189).**

Com uma vida prazerosa garantida longe do mundo dos negócios, a classe intelectual de acadêmicos, jornalistas e burocratas se volta contra as próprias instituições que sustentam o sistema econômico que viabilizou esse luxo – propriedade privada e livre mercado. Dessa forma, Schumpeter diz que Marx "superestimou muito o desejo de a burguesia resistir às mudanças graduais contrárias a seus interesses, a seu estilo de vida" (EOE, p. 208). Enquanto Marx dizia que os trabalhadores se voltariam contra os defensores burgueses do capitalismo, Schumpeter dizia que eram os próprios burgueses que se voltariam contra o capitalismo.

Longe de ser uma transição que poderia ocorrer em um futuro distante, Schumpeter se preocupava que ela já estivesse em curso: "O capitalismo está em um processo tão óbvio de transformação em outra coisa, que não é sobre o fato, mas apenas sobre a interpretação do fato, que se pode discordar" (EOE, p. 71). Ele oferece exemplos de quanto o processo de transformação já avançou:

> *[...] o controle governamental dos mercados de capital e trabalho, das políticas de preços e, por meio dos tributos, da redistribuição de renda, já está estabelecido e só precisa ser complementado sistematicamente com a introdução de linhas gerais da produção (programas de moradia, investimento externo) para transformar, mesmo sem nacionalizar totalmente a indústria, o capitalismo regulado e*

---

* *Schumpeter também salientou que "a instituição do crédito bancário é tão essencial para o funcionamento do sistema capitalista que, embora não estritamente implícita em sua definição, deveria ser somada aos outros dois critérios" de propriedade privada e produção privada para lucro privado como as características que definem o sistema capitalista (EOE, p. 189).*

limitado em um capitalismo guiado que poderia, com toda a justiça, ser chamado de socialismo. Assim, a previsão da sobrevivência da ordem capitalista é, em parte, uma questão de terminologia (EOE, p. 209).

A visão de Schumpeter de que a transição para o socialismo já estava em curso com uma influência crescente do governo era amplamente condizente e reafirmada pelos eventos da época de seus escritos, com a grande expansão do tamanho e do papel do governo federal nos programas do New Deal que sucederam a Grande Depressão, e os controles impostos durante a Segunda Guerra Mundial. Ele detectou as mesmas tendências em seu país natal, a Áustria, e em outros países ocidentais. Schumpeter previu uma crise orçamentária do governo (do "estado tributário", como ele o chamava) resultante da "expansão da esfera de solidariedade social" (ESC, p. 131), já que "a vontade do povo exige gastos públicos cada vez maiores" (ESC, p. 116) para financiar programas de transferência de renda e a dívida acumulada na Segunda Guerra Mundial.

Schumpeter também previu a influência crescente das grandes corporações no processo político, na tentativa de usar o poder do governo para "combater a ameaça" representada pela destruição criativa; elas, no processo, "podem e, de fato, combatem o próprio progresso" (CSD, p. 96). "Considerando a indústria como um todo, há sempre uma esfera inovadora em guerra contra uma esfera "antiga" que, às vezes, tenta garantir a proibição das novas formas de fazer as coisas" (BC1, p. 106-108). O governo, moldado pela estrutura social, torna-se uma "alavanca, por assim dizer, que os poderes sociais podem puxar para mudar essa estrutura (ESC, p. 110-111). Schumpeter se preocupava que a elevada tributação associada à expansão do tamanho do governo já estivessem erodindo os incentivos a inovar e produzir: "quase todos os países passaram longe do alvo em um ou outro caso de tributação indireta, sobrecarregando certos artigos a tal ponto que o interesse fiscal do próprio Estado foi prejudicado" (ESC, p. 113).

Na visão de Schumpeter, essa transição gradual para mais e mais controle e intervenção econômica do governo é auxiliada pela democracia e pela marcha do "socialismo democrático". Segundo ele, "os métodos democráticos se tornaram um elemento do credo moral do americano médio. [...] Espero um progresso lento na regulação, que só cessará quando não houver nada mais a regular" (ESC, p. 313). Consistirá na "extensão do método democrático, ou melhor, da esfera da política, a todos os assuntos econômicos" (CSD, p. 299). "De qualquer maneira, a democracia não significará maior liberdade pessoal" (CSD, p. 302).

Está claro que Schumpeter via que um movimento de afastamento do capitalismo e aproximação do socialismo resultaria em menos liberdade pessoal e prosperidade econômica no longo prazo. Isso não é surpresa, já que Schumpeter escreveu amplamente sobre os benefícios e o papel essencial do empreendedorismo privado no sistema capitalista de livre mercado. Ele notou que essa transição "não era por necessidade econômica" e resultaria "em um sacrifício do bem-estar econômico, em uma ordem de coisas a ponto de ser apenas uma questão de gosto e terminologia chamar de socialismo ou não" (EOE, p. 72). Embora Schumpeter, assim como Marx, acreditasse que o sistema econômico capitalista tinha características integradas que levariam ao seu colapso e sua substituição pelo socialismo, os dois autores não tinham apenas explicações diferentes, mas também prognósticos distintos sobre o impacto que isso teria sobre o bem-estar dos indivíduos na sociedade.

O CAPITALISMO PODE SOBREVIVER?

A análise cuidadosa de Schumpeter sobre a história econômica, o conhecimento prático de seu período como funcionário do governo e sua experiência de vida em diferentes países lhe deram uma compreensão impressionante sobre como as sociedades capitalistas e ocidentais provavelmente evoluiriam décadas após seus escritos. Sua obra antecipou a habilidade crescente dos grupos especificamente interessados em controlar o processo político, o surgimento de grandes corporações que usam o poder do governo para proteger seus interesses de pressões competitivas, a burocratização crescente da inovação através da concentração em grandes firmas. Antecipou também o surgimento do Estado regulatório com amplos controles sobre negócios privados, e os níveis crescentes de dívida fiscal e tributação. Assim como o movimento em direção ao socialismo, de algum modo ele sentia que o resultado líquido dessas mudanças era prejudicial à liberdade e à prosperidade.

A preocupação de Schumpeter, que se realizou em grande parte, era que, nos círculos intelectuais, o capitalismo eventualmente "seria levado à julgamento, diante de juízes que têm a sentença de morte pronta em seus bolsos. [...] A condenação do capitalismo e todas as suas obras é uma conclusão antecipada – praticamente, uma exigência do protocolo da discussão. Qualquer outra posição é considerada não só absurda, mas antissocial", e esse viés evitaria que as pessoas entendessem as verdadeiras realizações econômicas e culturais do capitalismo.*

---

* *A evidência de que essa tendência intelectual começou a se desenvolver é testemunhada pelo biógrafo de Schumpeter, Thomas McCraw, quando declara que o argumento de Schumpeter é "facilmente reconhecido por pessoas que passaram tempo em universidades, não importa sua política". Essas citações são retiradas da página 641 do livro* Prophet of Innovation *(2009), de Thomas K. McCraw, que é baseado na tradução das páginas 161-162 do artigo de Schumpeter "Capitalism and the Intellectuals" (1948), publicado no German Journal for European Thought.*

Embora uma transição para o socialismo na extensão que Schumpeter descreveu ainda tenha de acontecer, não resta dúvidas de que a intervenção e a influência do governo sobre a economia em países ocidentais continuou a crescer rapidamente, e que as atitudes públicas e intelectuais para com plataformas políticas baseadas em alguma variante do "socialismo democrático" parecem ter se tornado mais positivas (e visões sobre o capitalismo, mais negativas), particularmente em círculos acadêmicos e instituições de ensino superior. À luz disso, os textos de Schumpeter servem de alerta sobre onde esses países estão agora e para aonde poderiam seguir se essa tendência continuar, na medida em que as pessoas perdem de vista o que gerou o progresso desfrutado por elas hoje. Como Schumpeter destacou: "todo argumento em prol do capitalismo deve se basear em considerações de longo prazo" (CSD, p. 144-145).

Obras citadas

AGHION, Philipp; AKCIGIT, Ufuk; HOWITT, Peter. *What Do We Learn from Schumpeterian Growth Theory? Working Paper 18824. National Bureau of Economic Research*, 2013. Disponível em: <https://www.nber.org/papers/w18824.pdf>. Acesso em: 4 set. 2019.

BAUMOL, William J. *Contestable Markets: An Uprising in the Theory of Industry Structure. American Economic Review 72*, 1: 1–15, 1982. Disponível em: <https://www.jstor. org/stable/1808571>. Acesso em: 4 set. 2019.

BOURNE, Ryan. *Is This Time Different? Schumpeter, the Tech Giants, and Monopoly Fatalism. Cato Institute Policy Analysis 872 (17 de junho de 2019)*. Disponível em: <https://www.cato.org/sites/cato.org/files/2019-09/Is%20This%20Time%20Different%3F.pdf>. Acesso em: 4 set. 2019.

Dal-Pont Legrand, Muriel, e Hagemann, Harald. *Business Cycles in Juglar and Schumpeter. History of Economic Thought 49*, 2007. 1: 1–18. Disponível em: <https://www.jshet. net/old/annals/het47-50/4901/legrandandhagemann4901.pdf>. Acesso em: 4 set. 2019.

DE GROOT, Bert; FRANSES, Philip Hans. *Cycles in Basic Innovations. Econometric Institute, Erasmus University Rotterdam*, 2005. Disponível em: <https://core.ac.uk/download/pdf/18507942.pdf>. Acesso em: 4 set. 2019.

DOWNS, Anthony. *The Economic Theory of Democracy. Nova York: Harper & Row*, 1957.

FRISCHTAK, Claudio R.; ROSENBERG, Nathan. *Long Waves and Economic Growth: A Critical Appraisal. American Economic Review* 73, 2: 146–151, 1983. Disponível em: <https://www.jstor.org/stable/1816830>. Acesso em: 4 set. 2019.

HANSEN, Alvin H. *Schumpeter's Contribution to Business Cycle Theory. Review of Economics and Statistics* 33, 2: 129–132, 1951. Disponível em: <https://www.jstor.org/stable/1925874>. Acesso em: 4 set. 2019.

KIRZNER, Israel M. *Creativity and/or Alertness: A Reconsideration of the Schumpeterian Entrepreneur. Review of Austrian Economics* 11, 1-2: 5–17, 1999.

McCRAW, Thomas K. *Prophet of Innovation: Joseph Schumpeter and Creative Destruction. Harvard University Press,* 2009.

MORGENSTERN, Oscar. *Review of The Theory of Economic Development by J. Schumpeter. American Economic Review* 17, 2: 281–282, 1927.

OLSEN, Mancur. *The Rise and Decline of Nations. Yale University Press,* 1982.

ROSENBERG, Nathan; FRISCHTAK, Claudio R. *Long Waves and Economic Growth: A Critical Appraisal. American Economic Review* 73, 1983. Disponível em: <https://www.jstor.org/stable/pdf/1816830.pdf?refreqid=excelsior%3Af86a21e2737709764b82fae9e76d49ee>. Acesso em: 4 set. 2019.

SCHUMPETER, Joseph A. *The Explanation of the Business Cycle* [EBC]. *Economica* 21: 286–311. Reimpresso em Schumpeter, Joseph A. (1951/1989). *Essays on Entrepreneurs, Innovations, Business Cycles, and the Evolution of Capitalism,* editado por Richard V. Clemence: 21–46, 1927.

SCHUMPETER, Joseph A. *The Theory of Economic Development* [TED]. *Cambridge, Massachusetts: Harvard University Press.* 1934.

OBRAS CITADAS

SCHUMPETER, Joseph A. *Business Cycles: A Theoretical, Historical, and Statistical Analysis of the Capitalist Process, Volume 1 [BC1].* Pennsylvania: McGraw-Hill Book Company, 1939.

SCHUMPETER, Joseph A. *Capitalism, Socialism, and Democracy [CSD].* Nova York: Harper & Brothers, 1942.

SCHUMPETER, Joseph A. *History of Economic Analysis.* Nova York: Oxford University Press, 1954.

SCHUMPETER, Joseph A. *The Economics of Sociology and Capitalism [ECS].* Editado por Richard Swedberg. Nova Jersey: Princeton University Press, 1991.

SCHUMPETER, Joseph A. *Essays on Entrepreneurs, Innovations, Business Cycles, and the Evolution of Capitalism.* Editado por Richard V. Clemence. New Brunswick: Transaction, 2008.

SOBEL, Russell S. *Economic Freedom and Entrepreneurship,* em Boudreaux, Donald J. (ed.), *What America's Decline in Economic Freedom Means for Entrepreneurship and Prosperity (Fraser Institute): 37–66,* 2015.

SOMBART, Werner. *War and Capitalism,* München: Duncker & Humblot, 1913.

WHALEN, Charles J. *America's Hottest Economist Died 50 Years Ago.* Business Week (10 de dezembro de 2019), 2000.

ZHANG, Bessie X. *Roving Reporter: Canada.* The Harvard Crimson. Disponível em: <https://www.youtube.com/watch?v=rofdYhgJIeE. 2013>. Acesso em: 4 set. 2019.

Sobre os autores

RUSSELL S. SOBEL É PROFESSOR DE ECONOMIA E EMPREEN-
dedorismo na Baker School of Business em The Citadel, em sua
cidade natal de Charleston, no estado da Carolina do Sul (EUA).
Ele obteve seu diploma em Economia pela Francis Marion
College, em 1990, e seu PhD em Economia pela Florida State
University, em 1994. O prof. Sobel foi autor e coautor de mais
de 250 livros e artigos, incluindo um *best-seller* nacional, o livro
didático de Ensino Superior, *Principles of Economics* (Economics:
Private and Public Choice). Sua pesquisa apareceu no *The New
York Times, Wall Street Journal, Washington Post, US News and
World Report, Investor's Business Daily* e *Economist*, além de ter
participado de programas de TV na CNBC, *Fox News*, CSPAN,
NPR, e no CBS Evening News. Ele é coeditor do *Southern
Economic Journal*, ocupa o conselho editorial de três outros
periódicos acadêmicos e é membro do conselho deliberativo de
quatro centros universitários. Ele conquistou diversos prêmios
por seu ensino e pesquisa, incluindo o Prêmio Sir Anthony
Fisher, de 2008, pela melhor publicação estadual do ano. Sua
pesquisa recente foca em áreas de reforma estadual de política
econômica e empreendedorismo.

JASON CLEMENS É VICE-PRESIDENTE EXECUTIVO DO
Fraser Institute e presidente da Fraser Institute Foundation. Ele
tem bacharelado com distinção em Comércio e mestrado em
Administração de Empresas da Universidade de Windsor, bem
como pós-graduação em Economia pela Simon Fraser Institute.
Antes de entrar para o Fraser Institute em 2012, Clemens foi diretor de pesquisa e editor-chefe do Macdonald-Laurier Institute,
sediado em Ottawa, e antes de entrar para o MLI, passou pouco
mais de três anos nos Estados Unidos, no Pacific Research
Institute, sediado em São Francisco. Ele publicou mais de 70
importantes estudos em inúmeros tópicos, incluindo tributação,
gasto governamental, regulação do mercado laboral, sistema
bancário, reforma do Estado de Bem-Estar Social, saúde, produ-
tividade e empreendedorismo. Ele publicou mais de 300 artigos
compactos, que foram veiculados em jornais como *Wall Street
Journal, Investors Business Daily, Washington Post, Globe and Mail,
National Post*, e em diversos outros jornais dos Estados Unidos
e Canadá. Já se apresentou diante de comitês tanto da Câmara
dos Comuns como do Senado no Canadá na qualidade de teste-
munha especialista, dialogando com legisladores estaduais na
Califórnia. Em 2006, ele recebeu o prêmio Top 40 Under 40 do
Canadá, oferecido pela Caldwell Partners, bem como o Odyssey
Award da University of Windsor. Em 2011, foi agraciado (junto
de seus coautores) com o prestigioso prêmio Sir Antony Fisher
International Memorial por seu livro *best-seller, The Canadian
Century*. Em 2012, o governador-geral do Canadá, em nome de
Sua Majestade, a Rainha, concedeu ao Sr. Clemens a medalha
Queen Elizabeth II Diamond Jubilee em reconhecimento às suas
contribuições ao país.

Agradecimentos

JASON CLEMENS GOSTARIA DE AGRADECER A JAKE FUSS, que ofereceu valorosa assistência de pesquisa. Os autores também gostariam de agradecer a três revisores anônimos, bem como ao prof. Donald Boudreaux (coeditor dessa série) por seus comentários importantes e construtivos em versões anteriores do manuscrito.

Propósito, financiamento e independência

O FRASER INSTITUTE OFERECE UM SERVIÇO DE UTILIDADE pública. Nós relatamos informação objetiva sobre os efeitos econômicos e sociais das políticas públicas atuais, além de oferecermos pesquisa baseada em evidências e instrução acerca das opções de políticas que podem melhorar a qualidade de vida.

O Fraser Institute é uma organização sem fins lucrativos. Nossas atividades são financiadas por doações de caridade, fundos livres, venda de ingressos, patrocínios de eventos, licenciamento de produtos para distribuição pública e venda de publicações.

Toda pesquisa é sujeita à revisão rigorosa por especialistas externos, e é conduzida e publicada separadamente pelo conselho de administração e seus doadores.

As opiniões expressadas pelos autores pertencem a eles, e não refletem necessariamente aquelas do Institute, de seu conselho de administração, de seus doadores e apoiadores, ou de seus funcionários. Essa publicação de nenhuma forma implica que o Fraser Institute, seus curadores, sua equipe, apoiam ou se opõem à aprovação de qualquer lei; ou que apoiam ou se opõem a qualquer partido ou candidato político particular.

Como uma parte saudável da discussão pública entre concidadãos que desejam melhorar a vida das pessoas através de melhores políticas públicas, o Instituto está aberto ao escrutínio científico de nossas pesquisas, incluindo verificação de base de dados, replicação de métodos analíticos e debate inteligente sobre os efeitos práticos de recomendações de políticas.

Sobre o Fraser Institute

NOSSA MISSÃO É MELHORAR A QUALIDADE DE VIDA DOS canadenses e suas famílias, bem como das futuras gerações, ao estudar, medir e comunicar amplamente os efeitos das políticas governamentais, do empreendedorismo e das escolhas sobre o seu bem-estar.

Revisão por pares - validando a exatidão de nossa pesquisa

O FRASER INSTITUTE MANTÉM UM PROCESSO RIGOROSO DE revisão por pares para toda a sua pesquisa. Novas pesquisas, grandes projetos de pesquisa, e pesquisa substancialmente modificada conduzida pelo Fraser Institute são revisadas por, no mínimo, um especialista interno e dois especialistas externos. Espera-se que os revisores tenham conhecimento reconhecido na área em questão. Sempre que possível, a revisão externa é um processo "duplo-cego".

Observações e artigos de conferências são revisados por especialistas internos. Atualizações com respeito à pesquisa anteriormente revista ou a novas edições de pesquisa anteriormente revista não são revisados a menos que atualizações incluam mudanças substantivas ou materiais na metodologia.

O processo de revisão é supervisionado pelos diretores dos departamentos de pesquisa do Fraser Institute responsáveis por assegurar que toda pesquisa publicada pelo Instituto passará pela revisão de pares adequada. Se surgir uma disputa com respeito às recomendações durante o processo de revisão por pares, o Instituto tem um conselho editorial consultivo, um painel de especialistas do Canadá, Estados Unidos e Europa a quem ele pode recorrer para resolvê-la.

Conselho editorial consultivo

MEMBROS

Prof. Terry L. Anderson

Prof. Robert Barro

Prof. Jean-Pierre Centi

Prof. John Chant

Prof. Bev Dahlby

Prof. Erwin Diewert

Prof. Stephen Easton

Prof. J.C. Herbert Emery

Prof. Jack L. Granatstein

Prof. Herbert G. Grubel

Prof. James Gwartney

Prof. Ronald W. ˙ nes

Dr. Jerry Jordan

Prof. Ross McKitrick

Prof. Michael Parkin

Prof. Friedrich Schneider

Prof. Lawrence B. Smith

Dr. Vito Tanzi

ANTIGOS MEMBROS

Prof. Armen Alchian*

Prof. Michael Bliss*

Prof. James M. Buchanan* †

Prof. Friedrich A. Hayek* †

Prof. H.G. Johnson*

Prof. F.G. Pennance*

Prof. George Stigler* †

Sir Alan Walters*

Prof. Edwin G. West*

* Prêmio Nobel; † falecido

CONHEÇA TAMBÉM:

"Ao perseguir seu próprio interesse (o indivíduo) frequentemente promove o da sociedade de forma mais eficaz do que quando ele realmente pretende promovê-lo. Nunca conheci nada bem feito por aqueles que enfrentaram o comércio pelo bem público."

ADAM SMITH

Considerado o mais importante teórico do liberalismo econômico, Adam Smith está entre os pensadores que todos deveriam conhecer. Isto porque ele tornou-se um dos grandes autores sobre os quais muitos estudiosos têm opinião, mas que poucos, de fato, leram.

Assim, a reputação de Adam Smith tende a ser baseada em impressões, leitura de artigos e observações de segunda mão, não realizadas pelas próprias pessoas. Este livro é uma introdução aos aspectos mais relevantes do liberalismo econômico, trazendo a grandeza de Smith, além de colocar em perspectiva a profundidade e a amplitude de seu pensamento.

Embora tenha escrito apenas dois livros, ele refletiu sobre uma série de temas, questões, eventos, países, culturas e ideias e aqui você encontrará o essencial de sua obra.

A mão invisível da economia, o papel do governo, a divisão do trabalho, intervenções governamentais em assuntos econômicos entre outros tópicos propostos por Smith mostram-se, até hoje, extremamente atuais.

"Uma sociedade que coloca igualdade antes da liberdade acabará por ficar sem nenhuma. A sociedade que coloca liberdade antes da igualdade acabará com uma boa medida de ambas."

MILTON FRIEDMAN

Quando economistas são chamados de "influentes" significa que eles mudaram a forma como outros pensam. Por esse padrão, Milton Friedman foi um dos economistas mais influentes de todos os tempos.

Ele revolucionou a maneira como os economistas pensam sobre consumo, dinheiro, política de estabilização e desemprego. Friedman demonstrou o poder de se comprometer com algumas suposições simples sobre o comportamento humano e então perseguir implacavelmente suas implicações lógicas.

Em mais de 60 anos de carreira, desenvolveu e ensinou novas maneiras de interpretar dados, testando suas teorias por meio de sua capacidade de explicar vários fenômenos díspares.

Seriam necessários vários volumes para fazer justiça às contribuições extraordinárias de Friedman para a teoria, prática e política econômicas, mas este livro servirá como uma introdução e também uma síntese do trabalho desenvolvido pelo célebre economista.

"A geração de hoje cresceu num mundo em que, na escola e na imprensa, o espírito da livre iniciativa é apresentado como indigno e o lucro, como imoral, onde se considera uma exploração dar emprego a cem pessoas, ao passo que chefiar o mesmo número de funcionários públicos é uma ocupação honrosa."

F. A. HAYEK

Laureado com o Prêmio Nobel de Economia, F. A. Hayek revolucionou a compreensão dos mercados e, em seguida, desafiou profundamente a compreensão pública do governo.

Hayek é um dos poucos cientistas sociais dos últimos 200 anos que repensou completamente a relação entre indivíduos, mercado e estado.

Mas, enquanto inúmeros trabalhos discutiram a importância de Hayek e suas ideias, nenhuma obra se concentrou em tornar as ideias básicas acessíveis a não economistas.

Este volume destaca suas principais propostas, explicando em linguagem não acadêmica sua visão e críticas sobre a natureza da sociedade e dos mercados.

ASSINE NOSSA NEWSLETTER E RECEBA
INFORMAÇÕES DE TODOS OS LANÇAMENTOS

WWW.FAROEDITORIAL.COM.BR

Há um grande número de portadores do vírus HIV e de hepatite que não se trata.
Gratuito e sigiloso, fazer o teste de HIV e hepatite é mais rápido do que ler um livro.

Faça o teste. Não fique na dúvida!

CAMPANHA

ESTE LIVRO FOI IMPRESSO
EM MARÇO DE 2021